ADOLESCENTES ANOREXIQUES

ADOLESCENTES ANOREXIQUES

Plaidoyer pour une approche clinique humaine

Dr JEAN WILKINS, pédiatre

en collaboration avec Odile Clerc,
journaliste scientifique

Les Presses de l'Université de Montréal

Catalogage avant publication de Bibliothèque et Archives nationales du Québec et Bibliothèque et Archives Canada

Wilkins, Jean, 1945-

Adolescentes anorexiques : plaidoyer pour une approche clinique humaine

ISBN 978-2-7606-2290-6

1. Anorexie chez l'adolescent – Traitement.
2. Anorexiques – Psychologie.
3. Anorexiques – Réadaptation. I. Titre.

RJ399.A6W54 2012 616.85'26206 C2011-942904-7

Dépôt légal : 1er trimestre 2012
Bibliothèque et Archives nationales du Québec

ISBN (papier) 978-2-7606-2290-6
ISBN (epub) 978-2-7606-2762-8
ISBN (pdf) 978-2-7606-2761-1

Les Presses de l'Université de Montréal reconnaissent l'aide financière du gouvernement du Canada par l'entremise du Fonds du livre du Canada pour leurs activités d'édition.
Les Presses de l'Université de Montréal remercient de leur soutien financier le Conseil des arts du Canada et la Société de développement des entreprises culturelles du Québec (SODEC).

IMPRIMÉ AU CANADA EN FÉVRIER 2012

Préface

C'est pour moi un plaisir et un honneur de présenter cet excellent ouvrage écrit par l'un de mes plus anciens étudiants en médecine de l'adolescence, que j'ai connu alors qu'il était « fellow » dans l'un des tout premiers départements à offrir cette spécialité au Centre médical Montefiore et à l'Institute of Medicine Albert Einstein de New York. C'était au début des années 1970 et, depuis, le Dr Jean Wilkins n'a cessé d'approfondir son expérience de ce groupe d'âge. Aussi considère-t-il qu'il convient de faire appel à des praticiens formés dans cette spécialité pour traiter les troubles de la conduite alimentaire à cette période particulière qu'est l'adolescence.

À l'adolescence, le corps subit des transformations plus dramatiques qu'à aucune autre période de la vie. Les garçons et les filles connaissent également une poussée de croissance, mais leur gain en poids n'a pas les mêmes conséquences pour les uns et pour les autres. Alors qu'il se traduit par un accroissement de la masse musculaire chez les garçons, il représente plutôt une augmentation de la masse adipeuse chez les filles. Dans les sociétés occidentales d'aujourd'hui qui valorisent tant la minceur du corps féminin, la réalité du développement à la puberté se heurte à une image trompeuse qui pousse plusieurs adolescentes à se priver de manger pour atteindre un idéal irréaliste. S'ajoutent à cette privation d'autres formes d'« autosabotage », comme l'abus des coupe-faim (amphétamines, cocaïne, nicotine) ou des purgatifs (comme l'ipéca), qui mènent ces jeunes filles à se mettre en retrait de leur famille, de leurs amis et de leur milieu scolaire. Les conséquences médicales de ces comportements sont évidemment très graves et constituent même une menace pour la vie de celles qui les adoptent.

Les praticiens en médecine de l'adolescence devraient prendre la tête du combat contre les troubles de la conduite alimentaire, dont la nature multifactorielle commande la collaboration d'autres professionnels de la santé, particulièrement ceux spécialisés en psychiatrie et en nutrition, sans oublier l'infirmière qui joue un rôle critique au chevet des adolescentes hospitalisées. La connaissance des aspects biologiques et psychosociaux du développement à cet âge oblige à une approche intégrée du traitement des troubles de la conduite alimentaire, et le spécialiste en médecine de l'adolescence est le mieux formé pour répondre à cette exigence. C'est là un des messages primordiaux de ce livre.

La tâche de ce praticien comprend aussi deux autres responsabilités, qui sont la prévention et l'identification de la conduite anorexique, avant qu'elle ne devienne chronique et même fatale. La prévention est certes un objectif, mais il est rarement atteint. Pourtant un suivi du développement de l'enfant devrait fournir l'occasion de prévenir parents et adolescents des transformations qu'entraîne la poussée de croissance à la puberté (et particulièrement l'augmentation de poids qui s'ensuit), pour mieux les préparer à vivre sainement ce phénomène biologique naturel. Les spécialistes de la médecine de l'adolescence devraient aussi avertir ces figures d'autorité que sont les entraîneurs sportifs et les professeurs de disciplines telles que le ballet, la gymnastique ou d'autres encore des dangers qu'il y a à encourager des adolescentes à perdre du poids. L'identification précoce de celles qui se font maigrir ou qui souffrent d'aménorrhée constitue un autre rôle important que peuvent jouer ces spécialistes, puisque les chances de succès d'une prise en charge des troubles de la conduite alimentaire sont meilleures quand elle intervient le plus tôt possible.

Je ne saurais trop recommander la lecture de cet ouvrage remarquable, qui deviendra sans doute une référence pour tous ceux et celles que préoccupent les troubles de la conduite alimentaire des adolescentes.

Iris F. Litt, MD
The Marron and Mary Elizabeth Kendrick
Professor of Pediatrics, Emerita
Stanford University

Avant-propos

Depuis de nombreuses années, je caressais le projet d'écrire un livre sur mon approche clinique de l'anorexie mentale à l'adolescence. Synopsis, ébauches de table des matières, notes multiples traînaient dans mes dossiers et dans mes tiroirs sans que jamais rien n'aboutisse, faute de temps et peut-être de conviction.

Il faut dire que les patientes anorexiques que je traite depuis près de quarante ans sont omniprésentes dans ma vie professionnelle, c'est-à-dire dans mon enseignement à la Faculté de médecine de l'Université de Montréal, mes recherches ou les soins dispensés au quotidien à l'hôpital Sainte-Justine. Je suis probablement le seul pédiatre spécialisé en médecine de l'adolescence qui s'occupe exclusivement des jeunes filles et, parfois, des enfants anorexiques. En raison de la complexité de leur maladie, de l'attention qu'elles requièrent, de leur détresse et du désarroi de leurs parents, la vie à leur contact est toujours tumultueuse, toujours une source de doutes et d'interrogations. Un climat peu propice à la prise de recul et, partant, à la rédaction d'un livre.

Cependant, étant à l'aube de la retraite et près du moment de passer le flambeau à d'autres pédiatres, il m'a paru urgent et essentiel de léguer à la communauté mon patrimoine scientifique riche en expériences. D'autant que mon approche clinique va à l'encontre de la tendance actuelle qui consiste à recourir à une approche psychiatrique et à donner une médication souvent néfaste ou inefficace aux anorexiques.

En tant qu'expert en médecine de l'adolescence et fort de l'observation des milliers de cas des jeunes filles anorexiques que j'ai connues et traitées au cours de ma carrière, il m'a paru nécessaire d'expliquer ma manière d'envisager la maladie ainsi que mon approche thérapeutique basée sur le lien, la confiance, le respect, la prudence et la patience.

Dans ma pratique, je me suis constamment demandé quelle était la meilleure façon d'accueillir les anorexiques en clinique, de diagnostiquer leur maladie, de la leur expliquer et de leur proposer une prise en charge thérapeutique adaptée à leur situation. Une prise en charge dans laquelle le duo médecin-infirmière joue un rôle de premier plan, secondé au cours du traitement d'autres professionnels tels que des psychologues et des nutritionnistes.

Dans ce livre écrit à l'intention de mes patientes, de leurs familles, des équipes de soins et de mes étudiants, je fais part de mes observations, de mes réflexions, de mes questionnements, et j'explique mon modèle d'intervention qui s'est révélé très efficace si je me rapporte à l'extraordinaire assiduité de nos patientes à leurs rendez-vous et à leur excellent taux de guérison.

Les quatre premiers chapitres traitent du contexte dans lequel j'ai commencé à soigner les jeunes filles anorexiques et dressent le tableau de la maladie. Dans les chapitres 5 à 8, je décris l'évolution de l'anorexie, divisée pour ainsi dire en quatre actes, et je présente les difficultés et les défis inhérents à chaque acte. Les chapitres 9 et 10 portent sur des points particuliers et douloureux qui sont en général peu traités dans la littérature scientifique, tels que la mortalité liée au passage à l'âge adulte, les cas d'anorexie plurielle dans certaines familles et l'anorexie chez les filles prépubères. Enfin, je décris dans le chapitre 11 la manière particulière dont, depuis trente-six ans, je soigne et accompagne les adolescentes dans leur anorexie et j'expose mon point de vue sur les pratiques médicales les mieux adaptées à leur cas. Pour des raisons de confidentialité, les prénoms des adolescentes dont je parle dans ces pages ont tous été changés.

Devant ces jeunes filles dont l'identité est morcelée, j'ai toujours considéré que mon rôle était de les protéger sur le plan physique et de les accompagner dans le travail de construction de leur identité. Les aider à assembler les pièces éparpillées du puzzle et à obtenir à la fin de leur adolescence une image d'elles-mêmes pleine et entière, les ramener à la vie normale dans leur corps authentique, voilà ce qui m'a toujours motivé dans ma pratique médicale. C'est également l'objectif de ce livre ; leur donner à travers mon témoignage quelques clés de compréhension de leur maladie et des outils pour la transformer.

Merci à toutes mes patientes qui ont exigé de moi de sans cesse remettre l'ouvrage sur le métier et m'ont appris à être patient, tolérant et à croire en elles, même dans les cas les plus désespérés, envers et contre tout.

Merci aux infirmières qui ont accepté d'être à mes côtés pour accueillir et soigner ces patientes, merci de la qualité de leur attachement et de leur affection pour toutes ces jeunes patientes. Merci à Marie-Paule Gaudreau et à Line Roy qui ont tant compté pour elles et pour moi. Et merci à tous les autres professionnels qui se sont joints à nous et ont renforcé la qualité de notre équipe médicale.

Merci aux Presses de l'Université de Montréal, à Nadine Tremblay et à Antoine Del Busso, pour leur accueil, leur enthousiasme et leur professionnalisme. Un plaisir manifeste à travailler auprès d'eux et dans leurs bureaux.

Merci à Odile Clerc, quelle rencontre ! Ce livre, elle l'a réécrit presque complètement.

Enfin, je dédie ce livre à mon grand-père maternel qui m'a si attentivement accompagné durant les premières années de mon adolescence, à mon premier petit-fils Alexandre, né exactement un siècle après ce grand-père, à Mathilde, une petite-fille qui s'est jointe à notre famille il y a quelques années, et à Romy, la petite dernière, née durant la phase finale de la rédaction de ce livre.

Je remercie également les professeurs Victor Courtecuisse de Paris et Iris Litt de Stanford pour leur précieuse amitié et leurs constants encouragements depuis mes débuts en médecine de l'adolescence. Victor est décédé en juin 2010, j'aurais tant aimé lui dédier cet ouvrage.

En souhaitant que la lecture de ce livre amène d'autres personnes à vouloir aider ces jeunes filles à se dégager de l'impasse de leur anorexie.

Jean Wilkins, MD

Fondateur de la section de médecine de l'adolescence du CHU Sainte-Justine

Professeur titulaire de pédiatrie
Faculté de médecine
Université de Montréal

CHAPITRE 1

Pédiatre en médecine de l'adolescence

L'anorexie mentale a été longtemps une maladie incomprise, mystérieuse et clandestine. Il aura fallu la publication de nombreux témoignages poignants de jeunes filles anorexiques et la médiatisation d'événements dramatiques tels que le suicide de Solenn Poivre d'Arvor, fille d'un célèbre journaliste français, pour que la maladie sorte de l'ombre.

En tant que pédiatre spécialisé en médecine de l'adolescence, je côtoie les pathologies de l'adolescence depuis trente-six ans et l'anorexie mentale depuis les années 1980. Ma pratique médicale auprès de milliers de jeunes filles qui se sont infligé des restrictions sévères de l'appétit m'a amené à considérer cette maladie comme essentiellement l'expression d'une impasse sur le plan identitaire, comme un dysfonctionnement du développement global à l'adolescence. L'anorexie mentale est une pathologie puissante et dévastatrice : la patiente renvoie dos à dos parents et intervenants de la santé, refuse tous les plans d'action et se sert du sentiment d'impuissance qu'éprouve son entourage face à elle pour entretenir sa dépendance à la maladie. Comprendre que la maladie est un refuge identitaire et accepter le fait que l'adolescente échappe à tous les protocoles rigides, chaque cas posant un défi, sont absolument essentiels pour tous ceux qui travaillent et interviennent auprès d'elle.

Qui est la jeune fille anorexique ? Comment le contexte social et familial favorise-t-il l'apparition de la maladie ? Quand et comment hospitaliser ces adolescentes en plein développement pubertaire, physique, psychique et identitaire ? Comment à la fois répondre à leur besoin inconscient de régression et les aider à construire leur personnalité et à habiter leur corps en pleine transformation ? Comment les aider à sortir de la spirale du contrôle ? Autant de questions que je me suis posées au cours de ma pratique hospitalière au centre hospitalier universitaire (CHU) de Sainte-Justine à Montréal et auxquelles j'apporte ici quelques éléments de réponse fondés sur mon expérience de clinicien de l'adolescence.

Avant d'entrer dans le vif du sujet, un bref retour en arrière s'impose. Devient-on un pédiatre spécialisé en médecine de l'adolescence par hasard ?

Deux frères jumeaux

« C'est un garçon madame ! Et, surprise, il n'arrive pas tout seul ! » Voilà probablement les premières paroles que j'ai entendues en arrivant au monde. Jacques, mon frère jumeau – un vrai, parfaitement identique –, serait né vingt minutes après moi, un 20 juin. Nous appartenons à la génération née avant l'avènement de l'échographie fœtale, mes parents n'ont su qu'à la naissance que nous étions deux. Une grande surprise, nous a-t-on raconté. Petits, fragiles et précieux –

c'est ainsi que l'on nous décrivait –, nous avons été baptisés le jour même de notre naissance, c'était plus prudent.

Nos parents ont toujours pris soin de ne pas nous confondre. Je portais, dit-on, un ruban bleu au poignet qui permettait de me reconnaître. Consciemment ou inconsciemment, ils voulaient protéger notre individualité. Bien que systématiquement confondus par les autres – et d'ailleurs encore aujourd'hui –, mon frère et moi n'avons souffert d'aucun problème d'identité. Cette situation particulière liée à ma naissance a-t-elle pu influer sur ma décision de me consacrer aux jeunes filles à l'allure si fragile ? Le problème identitaire des anorexiques m'a-t-il interpellé au point de vouloir lui consacrer ma vie professionnelle ? Probablement que ma carrière de pédiatre n'est pas le fruit du hasard.

Ayant grandi dans une famille élargie comprenant père et mère, grands-parents maternels, tantes et oncles maternels, mon frère et moi, de même qu'une sœur aînée et un frère cadet, nous avons bénéficié d'un climat familial chaleureux et sécurisant. C'était tout le contraire de l'isolement que connaissent les nombreuses familles que je rencontre aujourd'hui dans ma pratique quotidienne. Ces parents ont un énorme besoin de soutien et de réconfort, pendant la maladie de leur fille ou, parfois, de leurs deux filles, car la maladie frappe deux membres de la même famille dans certains cas.

Naissance d'une vocation

J'ai fait mes études primaires au Jardin de l'enfance à Valleyfield, près de Montréal. Pour me rendre à l'école, je passais devant l'hôpital de ma ville et parfois je m'arrêtais devant une ambulance qui arrivait en trombe, gyrophares allumés et sirène en marche. J'étais impressionné. Le travail de ceux et celles qui prenaient en charge les malades me fascinait. Très tôt, j'ai su que, un jour, je serais médecin. Les études seraient longues et chères, mais, peu importait, nos parents nous disaient qu'ils étaient prêts à hypothéquer notre maison pour payer nos études.

Au collège, je n'étais pas un premier de classe ; par contre j'avais de très bonnes notes en mathématiques, si bien que mon plan était tout tracé : si j'échouais en médecine, je m'orienterais vers l'actuariat. J'ai finalement présenté ma demande d'admission en médecine, qui comportait entre autres épreuves une entrevue individuelle redoutée de tous. À juste titre. Je me souviens très bien du déroulement de l'entretien. À la question : « Depuis quand pensez-vous à la médecine ? » j'ai répondu : « Depuis toujours ! » « Et si vous n'êtes pas accepté ? » « Je n'ai jamais pensé que vous me refuseriez ! » Aïe, c'était une gaffe, je ne voulais pas être arrogant, je recourais juste à l'humour dans un moment de grand stress. Quelques semaines après, on m'a informé que j'étais accepté. Et là, je savais que ça allait être difficile.

Cela a été difficile, en effet. Accumuler les heures de travail, assimiler des tas de connaissances, subir le stress des examens et de la compétition, ce n'est pas une sinécure. Pour devenir médecin, il faut être motivé. De plus, les dirigeants de la faculté avaient eu la brillante idée de placer les examens après le congé des fêtes, de sorte que nous avons dû passer nos vacances à étudier. Un mauvais souvenir. Plus tard, je contribuerai à apporter des changements profonds au programme des études médicales en tant que professeur à la faculté. Heureusement, j'ai noué durant cette période difficile des amitiés durables.

Mes débuts comme pédiatre

Une fois médecin, j'étais fier de mon parcours, je voyais enfin à quoi servait tout ce que nous avions appris et découvrais l'art de la pratique médicale. Intégrer les connaissances et les mettre en pratique de manière originale et créative, voilà ce à quoi je me suis appliqué durant toute ma carrière.

Dans mon milieu familial, je faisais partie de la première génération qui accédait aux études universitaires qu'elle pouvait choisir. Une fois admis en médecine, j'ai tout de suite su que je voulais me spécialiser en pédiatrie et m'installer dans ma petite ville natale qui m'avait si bien nourri dans tous les sens du terme. Je voulais rendre à ma communauté ce qu'elle m'avait donné. Le sort en a décidé autrement. C'est à Sainte-Justine à Montréal que j'ai commencé ma carrière et fait les trois premières années de spécialisation en pédiatrie. De très nombreuses heures de travail, des semaines interminables, des cas difficiles, mais c'était merveilleux d'apprendre le métier et d'exercer une profession aussi gratifiante. J'étais heureux.

Alors qu'il avait été jusque-là réservé prioritairement aux enfants, l'hôpital Sainte-Justine s'est mis à accueillir des enfants de plus en plus grands, puis des adolescents ayant des besoins précis et des problèmes tout à fait différents de ceux de la petite enfance. Devant l'afflux de nouvelles catégories de malades, le directeur du service de pédiatrie, le Dr Luc Chicoine, qui avait décelé chez moi une aptitude particulière pour le travail auprès des adolescents, m'a chargé de m'occuper de ces derniers dans mes heures de garde à l'urgence. La plupart du temps, je les soignais pour des intoxications aux drogues. C'est ainsi que j'ai découvert la toxicomanie, une problématique nouvelle pour nous les pédiatres, un territoire inconnu que nous devions explorer et définir. Je m'y suis totalement investi.

La médecine de l'adolescence

Envisageant de créer une unité de soins en médecine de l'adolescence à Sainte-Justine, le Dr Chicoine me proposa d'aller suivre une formation en médecine de l'adolescence qui se donnait alors seulement aux États-Unis. J'ai accepté sans hésiter et j'ai passé une année de formation post-doctorale au Montefiore Hospital and Medical Center, affilié au Albert Einstein Institute of Medicine à New York, de juillet 1973 à juin 1974, un programme très renommé à l'époque.

Ma formation a été très riche. Parmi tout ce que j'ai appris, ce qui m'a le plus servi concerne ma pratique médicale : j'ai compris durant mon année de spécialisation que je devrais toujours rester fidèle à moi-même et exercer mon métier à ma manière, en respectant mes convictions. Cet enseignement était d'autant plus précieux que j'avais conscience qu'une tâche gigantesque m'attendait à Montréal : mettre sur pied une unité de soins.

Bien que jeune et mal définie à l'époque, la médecine de l'adolescence m'a tout de suite passionné, et ce pour plusieurs raisons. Tout d'abord, je conserve d'excellents souvenirs de ma propre adolescence qui a été pour moi une période très créative et constructive. La confiance et la force que j'ai puisées dans ces années fondatrices expliquent certainement ma détermination et mon engagement dans la pratique médicale. Le désir d'aider chacun à vivre son adolescence, l'âge de tous les espoirs, cette époque privilégiée où l'avenir paraît totalement ouvert, m'a toujours habité.

De plus, la médecine de l'adolescence est une spécialité riche et originale, car elle n'est liée ni à un organe tel que le cœur (cardiologie) ou les poumons (pneumologie), ni à un système comme le système psychique (psychiatrie). Elle concerne une période clé de la vie, une période de croissance intense et de transformations de toutes sortes.

Axée sur la compréhension du développement complexe qui a lieu entre douze et dix-huit ans et qu'on appelle la puberté, la médecine de l'adolescence est depuis peu une spécialité reconnue comme telle au Canada. Après trente-six années de pratique dans le milieu pédiatrique et universitaire de Sainte-Justine, le Collège des médecins du Québec m'a décerné un diplôme en médecine de l'adolescence en août 2011. C'est donc en fin de carrière que je suis finalement reconnu comme expert en médecine de l'adolescence; j'aurai été patient, tout comme mes patientes anorexiques m'ont appris à l'être.

CHAPITRE 2

L'apparition de l'anorexie en médecine de l'adolescence

La médecine de l'adolescence se développe à la fin des années 1960 aux États-Unis, au milieu des années 1970 au Québec et au début des années 1980 en Europe. Avant l'établissement d'une section en médecine de l'adolescence en 1974, rien n'était vraiment prévu pour les adolescents à l'hôpital Sainte-Justine, la plus grande structure pédiatrique francophone d'Amérique du Nord. Un vieux manoir situé à côté du bâtiment principal de l'hôpital avait été aménagé en 1973 pour accueillir et soigner les jeunes en état d'intoxication lié à l'« usage non médical de drogues », selon l'expression en usage. Cette unité pour adolescents installée hors des murs de l'hôpital témoigne de l'attitude ambivalente que manifestait l'administration à l'égard de cette catégorie de patients. De toute évidence, les adolescents n'étaient pas les bienvenus aux urgences principales.

À mon retour de New York en 1974, j'ai eu la chance de pouvoir ouvrir au sein du département de pédiatrie de l'hôpital Sainte-Justine et de la faculté de médecine de l'Université de Montréal la toute première section francophone de médecine de l'adolescence en milieu hospitalo-universitaire. J'ai supprimé la structure médicale du manoir et ai commencé à accueillir les adolescents dans l'hôpital même. Un bouleversement. Non seulement ces nouveaux patients entraient légitimement à l'hôpital, mais de plus ils étaient intégrés dans un environnement hospitalo-universitaire où la clinique, l'enseignement et la recherche s'entrecroisent sans cesse. C'était pour moi un privilège et une occasion à ne pas laisser passer. C'était aussi un défi de taille, car tout était à faire : accueillir, observer et traiter les patients en un temps record, les besoins et les demandes des adolescents changeant en effet très vite. C'est dans ce contexte d'urgence qu'avec une équipe restreinte d'intervenants, ô combien dévoués et motivés, mon aventure commence.

La génération yéyé

Afin d'expliquer comment et pourquoi la médecine de l'adolescence a surgi subitement dans le monde médical au cours des années 1970, prenant au dépourvu tous les professionnels de la santé, il faut rappeler le contexte sociologique de l'époque.

Tout d'abord, les adolescents n'ont jamais été aussi nombreux au Québec que dans ces années-là, le groupe des 10-20 ans dépassant en nombre le groupe des 0-10 ans. Cette démographie unique dans notre histoire a été en partie prévue sur le plan scolaire – il a fallu bâtir de nouvelles écoles secondaires pour les accueillir –, mais aucunement sur le plan de la santé.

Sur le plan social, tout vacille. À la guerre du Vietnam qui domine l'actualité internationale s'ajoutent les événements de Mai 68 en France, la libération sexuelle, les mouvements de contestation sociale et les grèves dans la fonction publique au Québec. L'arrivée au pouvoir du Parti Québécois en 1976, un parti séparatiste, va contribuer à créer dans la société une effervescence sans précédent, plus importante que celle qui a suivi la Deuxième Guerre mondiale, au dire des historiens. Cependant, c'est la vague des séparations et des divorces qui aura, selon moi, les répercussions les plus profondes sur la santé mentale des adolescents. Les jeunes gens de cette génération font face à la contestation collective de leurs propres parents ; comment s'opposer à ces derniers, comment se distinguer d'adultes qui mènent leur propre révolution sociale et personnelle ?

Dans ce contexte en ébullition arrive donc en force une foule de jeunes en proie à de nouvelles difficultés. Des difficultés d'autant plus grandes que ces adolescents en pleine croissance et en train de forger leur propre identité agissent avec le degré de maturité correspondant à leur âge. Il est alors inévitable que surgissent des problèmes tels que la toxicomanie, qui est depuis devenue le fléau que l'on sait.

Le cannabis et ses dérivés sont les premières drogues douces qui aient été fournies en abondance sur le marché. Au cannabis s'est ajouté le LSD, très apprécié pour ses effets stimulants sur la création. (Les jeunes Américains qui reviennent assez abîmés de la guerre du Vietnam en consomment volontiers.) On voit alors défiler à l'urgence de Sainte-Justine des cas de *bad trip*, c'est-à-dire des réactions de toxicité aiguë due à de mauvais dosages.

La drogue accompagnait au début un mouvement de contestation qui s'inscrivait dans l'ère du temps, mais elle est devenue très rapidement un article de consommation récupéré par le monde interlope. D'adeptes, les adolescents deviennent victimes; les prix grimpent, les substances perdent de leur pureté, des mélanges de toutes sortes ainsi que de nouvelles molécules apparaissent et les effets néfastes s'accentuent: le décrochage scolaire s'étend, les troubles du comportement et les actes délinquants se multiplient. Devant cette vague de fond, notre équipe de soignants qui n'avait eu jusque-là affaire qu'à des consommateurs de drogues douces, doit se mobiliser et répondre aux besoins nouveaux et complexes des adolescents adeptes des drogues dures.

Les drogues dures

La morphine, une drogue dure utilisée par injection, est la plus consommée par les jeunes que nous recevons. Ils arrivent à l'urgence dans le coma, en arrêt respiratoire ou bien pleinement conscients. Souvent, dans un moment de lucidité, ils nous demandent de les aider à se sevrer. Même s'il s'agit parfois seulement de belles paroles – les adolescents vivent des difficultés sur les plans familial, scolaire ou juridique et veulent montrer qu'ils ont pris une sage décision –, nous faisons tout pour répondre favorablement à leur demande: nous les hospitalisons pendant une semaine, leur prescrivons au besoin des anxiolytiques, puis les suivons en clinique externe. Ces patients sont fidèles à leurs rendez-vous médicaux et tissent avec nous des liens thérapeutiques solides qui leur sont salutaires.

Notre plan thérapeutique convient à la presque totalité des adolescents. Malgré leur état de manque, ils arrivent à se conformer sans grande résistance à nos règles et à nos exigences. Du côté de l'administration, notre approche thérapeutique ne suscite aucune critique ; bien qu'en pleine détresse, les adolescents sont respectueux, polis et ne causent aucun dommage matériel dans l'hôpital. Les autorités sont rassurées.

Cette expérience auprès des toxicomanes m'a beaucoup apporté. Elle m'a permis de prendre conscience qu'ils affrontaient des problèmes complexes pour leur âge, qu'ils étaient sincères malgré l'échec des sevrages et que nous, les médecins, nous sentions trop souvent impuissants face à eux. Ce dernier point est particulièrement déroutant, car, en dépit de tous nos efforts, les décès par surdose surviennent en grand nombre et sont impossibles à prévenir. Selon moi, ces adolescents, parce qu'ils n'ont aucune prise sur la société, sont victimes de son évolution. À travers la toxicomanie, ils expriment un état de détresse amplifié par les effets des transformations psychiques et physiques qui s'opèrent à leur âge.

Marianne est une jeune fille que j'ai soignée à trois ou quatre reprises alors qu'elle se trouvait dans le coma. Pour payer ses doses de drogue, elle commettait des vols armée d'un faux fusil parce qu'elle voulait éviter de tirer sur quelqu'un. Elle a ainsi commis plus d'une trentaine de vols. Quelques années après, elle a été arrêtée et incarcérée dans une prison pour femmes et, du fait de sa beauté juvénile et de son immaturité, elle est rapidement devenue la proie sexuelle des autres détenues. Alors qu'elle avait dépassé l'âge de l'adolescence et disposait d'un avocat, elle a continué à me demander de plaider en sa faveur et voulait que je l'aide à obtenir un transfert vers une prison moins rude. Voilà le genre d'adolescents qui fréquentent notre hôpital; des jeunes gens marginaux qui attendent un soutien constant.

La sexualité

Comme nous avons côtoyé des adolescents toxicomanes qui ont commencé à avoir une vie sexuelle active plus tôt que les autres, nous pouvions savoir quels étaient les problèmes de sexualité des jeunes à l'époque où la demande de soins liée à la libération sexuelle des années 1970 et 1980 a décuplé. De nouveau, nous avons dû nous ajuster à cette nouvelle réalité clinique: observer, comprendre et agir vite. D'abord prendre conscience que l'âge de la première relation sexuelle est plus précoce et se situe aux alentours de quinze ans et demi. Ensuite, admettre que les moyens contraceptifs ont été prévus pour les adultes et qu'il faut les adapter aux adolescents. En outre, savoir que ces adolescents ont plus de partenaires sexuels que leurs parents, qu'ils courent plus de risques d'infections transmises sexuellement et qu'ils subiront davantage de déceptions amoureuses. Corollairement, la grossesse à l'adolescence devient un phénomène répandu; il faut alors répondre aux nombreuses demandes d'avortement et aussi veiller à assurer la confidentialité des dossiers. Nous assistons également à une augmentation des consultations médicales par suite d'agressions sexuelles; les incestes jusque-là cachés sont plus aisément dénoncés. Ainsi, les experts en drogues que nous étions deviennent aussi par nécessité des experts en sexualité adolescente.

Heureusement, au cours de mon stage à New York, je me suis initié à la gynécologie auprès du Dr Iris Litt, professeure pédiatre, qui avait dû elle aussi se spécialiser pour répondre à la forte demande des jeunes Américaines. Grâce à l'expérience ainsi acquise, j'ai pu former les membres de mon équipe à Sainte-Justine et ensemble nous avons été en mesure de faire face à cette nouvelle vague de fond.

Les relations sont somme toute harmonieuses tant avec les autorités hospitalières qu'avec les adolescents. Il en est autrement avec les gynécologues, car ils n'aiment guère que les pédiatres que nous sommes marchions sur leurs plates-bandes. Nous pouvons dire à notre décharge que nous développons la médecine de l'adolescence et qu'il est inévitable que nous empiétions sur des domaines jusque-là réservés à d'autres. Des conflits d'intérêts, bien sûr, surgissent, ce qui est regrettable puisque le but final est de fournir aux adolescents les meilleurs services possible. Heureusement, avec le temps, les gynécologues ont su adapter leur pratique aux problèmes particuliers des jeunes et répondre de manière adéquate à leurs demandes. Par la suite, les médecins de famille apporteront eux aussi leur contribution. Ainsi les adolescents ont pu trouver ailleurs qu'à notre clinique une aide appropriée, mais cela n'a été possible qu'après bien des années.

Bien que très complexe, la problématique de la sexualité a été socialement plus acceptable que celle de la drogue. C'est à cette époque que notre rôle de formateur à nous médecins a été le plus déterminant, car, si la révolution sexuelle a eu le mérite de sortir la sexualité de la clandestinité, elle a eu pour effet d'exercer sur les adolescentes une pression parfois difficile à supporter. J'ai souvent dû leur rappeler que l'acte sexuel n'est pas une obligation, qu'elles ont le droit de le refuser et le devoir de se respecter.

Les séparations des parents

À la suite des changements sociaux, de la libération sexuelle, de l'évolution de la jurisprudence, nous avons assisté à la fin des années 1970 à une augmentation sans précédent du nombre des séparations et des divorces, un phénomène de société qui a entraîné des situations médicales bien plus déstabilisantes que les problèmes de sexualité. Le cadre familial éclatait, et il faut dire que cela couvait depuis longtemps.

Les adolescents réagissent à cette nouvelle réalité de manière très violente. Ils ont perdu leurs repères dans leur environnement affectif. Notre clinique accueille de plus en plus d'adolescents désemparés et silencieux qui présentent des difficultés d'adaptation qui se traduisent par une tristesse marquée, des troubles du comportement et de la somatisation. Des conflits de loyauté surgissent; ils font office de messagers entre leurs parents séparés ou divorcés qui ont cessé de se parler, ils deviennent à leur insu responsables d'un problème relationnel qui ne les concerne pas. Pire, ils doivent souvent faire le deuil d'un parent absent, parti vivre ailleurs et pourtant encore bien vivant. Cela est bien plus compliqué qu'un deuil normal, car il s'agit non pas d'une séparation involontaire due à un décès, mais plutôt d'une fragilisation ou d'une rupture du lien filial survenant à la suite d'un conflit conjugal dont ils ne sont pas responsables. Bon nombre d'enfants de cette génération ont ainsi été pris en otage par l'un ou l'autre des parents sans que ces derniers en aient eu pleinement conscience.

Les tentatives de suicide

À cette époque, notre unité de soins à Sainte-Justine recevait presque chaque jour une adolescente – c'étaient surtout des filles – ayant tenté de se suicider par intoxication médicamenteuse, dans la majorité des cas. D'après les experts, les tentatives de suicide à l'adolescence s'expliquent par une combinaison de facteurs conjoncturels à taux géométrique variable: les conflits à l'école ou les mauvais résultats scolaires, les conflits avec les amis, en particulier les ruptures amoureuses, et les problèmes familiaux. Je suis enclin à penser que le contexte social instable de l'époque a pu également favoriser l'apparition des tentatives de suicide chez les jeunes. En accomplissant un geste radical, ces adolescentes ont peut-être voulu en finir avec une situation sociale et personnelle qui leur paraissait sans issue.

Comme je le faisais pour les toxicomanes, je propose à ces jeunes filles très mal en point une hospitalisation de quelques jours. Cette mesure qui a pour seul objectif de permettre à l'adolescente de prendre du recul a toujours été salutaire et l'est encore aujourd'hui.

Les premiers cas d'anorexiques

Plus tard, au début des années 1980, alors que nous concentrions nos efforts sur les problèmes de drogues dures, de sexualité et de tentatives de suicide arrivent à l'hôpital les premiers cas de jeunes filles anorexiques.

Elles sont jeunes, fragiles, intelligentes et puissantes. Une nouvelle fois, il faut s'adapter très vite à leur pathologie, car rien n'annonçait leur arrivée en grand nombre. Il faut dire que leur maladie n'est pas répandue, bien que connue médicalement depuis plus d'un siècle. Les premiers cas d'anorexie traités dans la littérature spécialisée datent en effet de la fin du XIXe siècle (1873 en France et 1874 en Angleterre).

Au début des années 1980, les anorexiques sont peu nombreuses à Sainte-Justine, rarement trois ou quatre en même temps. Bien qu'hospitalisées dans mon unité de soins, elles sont suivies soit par un psychiatre, soit par un endocrinologue, qui doit corriger l'aménorrhée et s'intéresser aux répercussions possibles de l'anorexie sur la croissance, ou encore par un gastroentérologue, qui doit éventuellement rattacher la perte de poids à un problème digestif. Rapidement, je m'aperçois que les mesures thérapeutiques de ces différents spécialistes ne donnent aucun résultat. Car la patiente anorexique est très particulière; elle est rebelle, elle s'oppose aux intervenants et refuse les ordonnances que les médecins lui prescrivent. Elle agit comme si elle ne voulait pas guérir, un paradoxe pour nous médecins habitués à soigner des malades impatients de recouvrer la santé. En dépit de la qualité reconnue de notre unité de soins et des compétences de l'équipe médicale, nous sommes tous relativement dépourvus devant elles.

Après un certain temps d'observation et de nombreux échanges avec différents intervenants, dont le psychologue avec qui j'avais mis en place une approche thérapeutique efficace auprès des toxicomanes, je propose que l'on adopte avec les anorexiques une approche similaire. Ainsi j'instaure une procédure médicale qui est encore employée aujourd'hui : une fois la patiente admise dans notre unité de soins, j'évalue, avec l'aide de l'infirmière, son état médical pour m'assurer qu'elle n'est pas en danger sur le plan clinique. Nous essayons ensuite de comprendre avec elle, et à son rythme, le ou les rôles de sa maladie dans son développement personnel et instituons un suivi médical réaliste et acceptable, toujours avec son accord. Sa collaboration est en effet essentielle, car l'anorexique ne se considère pas comme malade et ne permet pas que nous la bousculions par des gestes médicaux violents ou même par des paroles insistantes. Avec elle, il nous faut être très fins, quasiment anorexiques dans nos prescriptions médicales.

Devant le succès de ma démarche thérapeutique auprès des anorexiques, les spécialistes commencent à m'envoyer leurs patientes, et c'est ainsi que petit à petit notre unité se trouve envahie. Depuis le milieu des années 1990, les anorexiques occupent près de la moitié de nos lits réservés aux adolescents ; elles sont aujourd'hui 12, 13 ou 14 à la fois sur un total de 25 lits et hospitalisées pour de longues périodes. Avec un tel taux d'accueil, nous sommes l'une des unités hospitalières les plus spécialisées du monde.

Une maladie qui sort de l'ombre

D'après les études internationales, il est difficile de savoir si la maladie est plus fréquente aujourd'hui que dans le passé ; les études à ce sujet sont contradictoires. D'une manière générale, on considère que la prévalence de la maladie dans la population des jeunes filles occidentales âgées de seize à dix-huit ans se situe à environ 1 % selon les évaluations de Arthur Hamilton Crisp publiées en 1980 dans son livre intitulé *Anorexia Nervosa : Let me be*. Cela signifie qu'une adolescente sur cent développe cette pathologie de manière suffisamment sévère pour nécessiter un traitement médical spécialisé. Cependant, on peut supposer que le taux de jeunes filles présentant des troubles anorexiques moins graves ou simplement niés est plus élevé.

Si on se fonde sur les différentes études épidémiologiques réalisées dans le monde, la prévalence de la maladie est plus forte dans des milieux tels que ceux de la danse, de la nage synchronisée et du sport, où elle atteint des taux records. Les troubles de la conduite alimentaire touchent près de 50 % des jeunes filles qui pratiquent un sport nécessitant un contrôle du poids. Depuis 1995, entre 100 et 140 nouveaux cas d'anorexie nous sont envoyés annuellement à Sainte-Justine ; entre 1990 et 2008, nous avons accueilli au total 2110 patientes pour une évaluation d'un trouble de la conduite alimentaire, soit en moyenne 117 cas par an, ou encore 1 cas tous les trois jours pendant dix-huit ans.

Grâce aux médias et aux récits d'anciennes anorexiques, la maladie est de mieux en mieux comprise même si chaque cas est un mystère en soi. Depuis environ deux décennies, l'anorexie est régulièrement traitée dans les magazines, en particulier à l'occasion d'événements sportifs ou de présentations de mode effectuées par des jeunes filles qui sont obligées, si elles veulent continuer à exercer leur métier, de se soumettre à de sérieuses restrictions alimentaires.

Parmi les récits qui m'ont le plus touché, je citerai *Le Pavillon des enfants fous* de Valérie Valère, édité en 1978. Ce livre, publié quatre ans avant le suicide de l'auteure, est une énorme gifle donnée au milieu de soins où celle-ci a été traitée. La critique impitoyable du monde hospitalier à laquelle se livre Valérie Valère m'a amené à réfléchir. Alors qu'à cette époque nous étions à Sainte-Justine à la recherche d'une procédure médicale qui s'appuierait sur les schémas traditionnels existants, voilà que Valérie Valère nous disait ce qu'elle pensait du modèle de soins réservé aux jeunes anorexiques. Un modèle psychiatrique coercitif, déshumanisant et humiliant. Une fois que j'eus terminé son livre, je savais ce qu'il ne fallait pas faire.

Plus tard, en 1994, Geneviève Brisac nous a donné avec son roman *Petite* une description brillante de l'anorexie à l'adolescence. Son témoignage m'a aidé à mieux comprendre le sens profond de la maladie lorsqu'elle se manifeste à cet âge. Il est d'une très grande sensibilité et d'une authenticité remarquable. Le choix des mots témoigne d'une force inouïe. À travers l'histoire du personnage principal, Nouk, le lecteur découvre l'univers de l'anorexie et de l'anorexique, un univers fascinant qu'elle explore pendant le temps dévolu à son rétablissement, car elle seule sait quelle doit en être la durée. L'anorexie est présentée dans le livre comme un refuge obligé, temporaire et significatif. À la fin, on ne sait pas vraiment comment le personnage central parvient à guérir, mais il guérit. J'ai aimé le fait qu'aucune recette ne soit donnée, car, je le répète, chacune trace son propre chemin vers la guérison. On a affaire à un cheminement personnel, individuel et unique.

Le suicide en 1995 de Solenn Poivre d'Arvor a également accentué la prise de conscience collective de cette maladie. Fille du célèbre journaliste Patrick Poivre d'Arvor – il était le présentateur du journal télévisé de 20 heures le plus regardé en France –, Solenn a été le sujet de trois livres écrits par ses parents. La Maison des ados, établissement de soins pour adolescentes anorexiques à Paris, porte aussi le nom de Maison de Solenn. Au moment de son décès, Solenn avait repris du poids et était en phase boulimique. Lors d'une interview, sa mère a expliqué : « Lorsqu'elle est devenue boulimique, c'est tout ce contrôle qu'elle avait acquis dans ses phases anorexiques, et dont elle était fière, qui lui échappait complètement. Incapable de lutter, débordée, elle a eu des pulsions suicidaires. » Le suicide de Solenn a pris tout le monde au dépourvu, y compris sa pédiatre que je connaissais et qui l'a suivie pendant de nombreuses années à Paris. Lorsque j'ai appris la nouvelle à la radio, j'ai immédiatement communiqué avec elle. Elle était bouleversée, peinée. Solenn n'était plus sa patiente puisqu'elle avait atteint l'âge adulte mais elles étaient restées en contact. Ce décès qui survient au début de l'âge adulte illustre bien la difficulté de la transition du milieu médical de l'adolescence au milieu adulte pour ces jeunes filles et pour nous les pédiatres.

Ces cas médiatiques auxquels l'on doit une meilleure compréhension et un meilleur dépistage de l'anorexie mentale me rappellent la toxicomanie du début de ma carrière : une pathologie inattendue, puissante et complexe, obligeant les intervenants à toujours se questionner sur leur façon d'agir et de soigner.

CHAPITRE 3

Les adolescentes de l'excellence

Je reçois en consultation des jeunes filles aux prises avec des troubles de la conduite alimentaire depuis maintenant trente-six ans et je suis frappé de constater que les anorexiques ont en commun de nombreux traits de caractère, quels que soient leur âge et leur origine ethnique. Ce sont souvent des jeunes filles perfectionnistes, très performantes tant à l'école qu'en dehors de l'école, et dont le passé est excellent à tous points de vue. L'un de mes anciens patrons à New York disait à ce propos qu'il est très aisé de retracer l'histoire médicale d'une adolescente anorexique, puisque cette dernière n'a généralement connu aucun problème jusqu'à la survenue de la maladie ; c'était une enfant modèle.

L'anorexique répond en effet à toutes les exigences sociales : elle est brillante sur le plan scolaire, elle excelle dans tout ce qu'elle entreprend, elle sort peu, n'a aucune conduite addictive à risques et nourrit de belles ambitions sur le plan professionnel. Une source apparemment intarissable de fierté et de satisfactions pour sa famille et ses professeurs. Jusqu'au jour où sa maigreur se révèle pathologique. Émergent alors d'inévitables questions : l'enfant modèle n'a-t-elle pas été en réalité plutôt modelée, construite à son insu à travers des attentes extérieures ? L'anorexique ne ressent-elle pas au fond d'elle-même une obligation constante de réussir et de plaire, une quête effrénée d'amour ? Quelle est sa propre identité ? Son monde intérieur était-il vraiment le sien ou n'était-il pas plutôt celui de son entourage ? Se sentant vide et étant effrayée par ce vide, l'anorexique plongera dans la maladie qui deviendra sa raison d'être, un projet de réalisation personnelle. Le mener à bien deviendra vital. Elle mettra alors toutes ses forces, son perfectionnisme et sa rigueur au service de *sa* maladie, rendant la guérison des plus difficiles. Elle excellera donc dans le contrôle de sa maigreur, comme elle l'a fait dans d'autres domaines. Profondément touché et interpellé d'un point de vue médical par ce constat clinique très particulier, j'ai longtemps observé ces adolescentes condamnées à l'excellence et cherché à les comprendre.

Une spécificité de la femme

Je relèverai tout d'abord que les réponses à la question de savoir pourquoi l'anorexie concerne essentiellement les filles – on recense en général un cas masculin sur dix – ne sont pas encore claires. Personne n'a de certitude ; mais c'est un fait qu'à l'adolescence certaines maladies sont plus fréquentes chez les filles, le facteur hormonal lié à la puberté est donc certainement déterminant. Un facteur génétique serait aussi probablement à considérer. Autre aspect à considérer, l'importance de la minceur, cruciale dans notre société, joue probablement aussi un rôle dans le déclenchement de la maladie. Une réserve cependant doit être formulée. L'exigence sociale concernant la minceur existe de tout temps selon certains chercheurs, comme en témoigne cet extrait du conte de Cendrillon publié en 1697: « Elles furent près de deux jours sans manger, tant elles étaient transportées de joie; on rompit plus de douze lacets à force de serrer pour leur rendre la taille plus menue et elles étaient toujours devant le miroir. » En outre, sur le plan psychologique, les filles seraient peut-être plus perturbées que les garçons à l'époque de la construction de leur identité. Enfin, autre élément: les filles sont souvent meilleures à l'école que les garçons et, étant donné la soif de réussite scolaire qui découle de ce fait, sont-elles plus sujettes à souffrir de cette maladie? Bien que nous n'en connaissions pas vraiment toutes les raisons, l'anorexie touche donc essentiellement la gent féminine. Cependant, il nous arrive depuis quelques années d'avoir trois garçons hospitalisés en même temps. À les écouter, le souci d'apparence et le désir d'un corps parfait, musclé et sans une once de graisse sont leurs préoccupations majeures.

La réussite en tant que valeur sociale

Le goût de la performance et le perfectionnisme qui caractérisent les adolescentes anorexiques ne sont pas sans rapport avec la recherche de l'excellence tant valorisée par la société. Les grands titres de journaux en Amérique du Nord contiennent souvent le mot « excellence » ou l'un de ses synonymes. La publicité l'utilise également à outrance. Même tendance du côté des établissements scolaires, des centres hospitaliers et des organismes de recherche: ne présententils pas tous des programmes d'exception? À Montréal, l'excellence a même son spectacle télévisé. La télévision de Radio-Canada présente tous les ans depuis plus d'une décennie *Le gala de l'excellence*, une idée du quotidien *La Presse* qui consacre chaque semaine une page à une personnalité reconnue au Québec.

En tant que clinicien, il m'est souvent arrivé de recevoir en consultation des adolescentes anorexiques décorées de la Médaille académique du Gouverneur général du Canada, garante de la qualité exceptionnelle de leur dossier scolaire. Comment de si belles réussites peuvent-elles s'accompagner de si grandes détresses ? Comment la quête de l'excellence a-t-elle pu nuire à l'image qu'elles ont d'elles-mêmes au lieu de la renforcer ? C'est un paradoxe. En réalité, au lieu de récompenser une réalisation personnelle, les honneurs scolaires – légitimement recherchés par l'entourage – servent en quelque sorte de caution à la maladie. Sans même en être conscients, les proches se trouvent ainsi involontairement liés à ces élèves par la complicité, situation étrange qui suscite des questions concernant, entre autres, la surprotection dont bénéficient ces dernières en milieu scolaire. Si la conduite anorexique, qui équivaut à un autosabotage de longue haleine, prenait une autre voie, par exemple une forme de toxicomanie, les adolescentes seraient alors exclues de l'école et subiraient toutes les conséquences que cela implique sur les plans scolaire et familial. Au lieu de cela, les jeunes anorexiques jouissent à mon avis d'une protection complaisante et excessive due à leurs performances scolaires.

Par ailleurs, les programmes scolaires sont quasiment bâtis sur mesure pour les anorexiques et leur pathologie.

Il n'y a donc rien d'étonnant à ce qu'elles obtiennent des résultats remarquables. Mais tout cela a un prix. Pour les sensibiliser sur ce point, j'aime répéter à mes jeunes patientes que, si j'étais leur directeur des études, je pourrais facilement les mettre en échec en leur imposant une matière qui exigerait d'elles qu'elles se tournent les pouces. En effet, les anorexiques ne savent pas ne pas travailler ; elles décrochent d'excellentes notes dans leurs études grâce à un travail acharné et défini selon des objectifs clairs. Ainsi, une patiente m'a déclaré un jour qu'elle était « une surdouée de la surchauffe » plutôt qu'une simple « surdouée ».

Or, la quête de l'excellence n'a plus de sens lorsque le risque associé est trop élevé ou qu'une pathologie apparaît ; étant donné le nombre considérable de troubles de la conduite alimentaire chez les sportifs de haut niveau, entre autres, il est permis de penser que la valeur de l'excellence a été pervertie au fil du temps. En effet, en parlant avec ces adolescents qui dépendent du toujours-mieux, on découvre que le milieu du sport de haut niveau n'est pas aussi loyal que l'on peut imaginer ; il s'agit le plus souvent d'un univers sans foi ni loi où tricheries et mensonges sont monnaie courante ou encore d'un milieu surprotecteur quelquefois abusif. Dans tous les cas, l'excellence se paye par de grandes souffrances psychiques et physiques.

La période de l'adolescence

Il faut rappeler que de grands changements sur les plans biologique, psychologique et social s'opèrent durant cette période de la vie. Le développement identitaire ne se fait pas sans bouleversements. Il y a à mon sens trois points qui ont motivé les parents à imposer à leurs enfants une trajectoire de l'excellence, avec, dans certains cas, la complicité des enfants.

Premièrement, la perception négative qu'ont les parents de l'adolescence ne joue pas en faveur de l'épanouissement du jeune. En effet, certains adultes ont une compréhension erronée du sens de la crise adolescente. Ils la perçoivent comme quelque chose de négatif et de pathologique au lieu de la voir simplement comme un passage nécessaire, bénéfique et constructeur. Cette période, associée souvent à la drogue, à la marginalité et à la contestation telle qu'elle est apparue au cours des années 1970, fait craindre le pire à bon nombre d'entre eux. Pour ces parents qui, aux premiers signes de révolte, ont peur de « ce qui va leur tomber dessus », tous les moyens sont bons pour éviter la crise et la « contamination adolescente » dans la famille : d'abord surencadrer leurs enfants, occuper tout leur temps par des activités planifiées et supervisées par des adultes, choisir leurs pairs et les diriger à l'excès. Or, de l'avis de tous les spécialistes, la crise de l'adolescence a un rôle fondateur dans la construction de soi, de son identité et de son avenir, un phénomène qu'il importe de vivre à la période de l'adolescence et non pas à l'âge adulte, car autrement les dommages personnels et collatéraux seraient beaucoup plus graves.

Deuxièmement, la crise économique qui nous frappe depuis quelques années est un facteur anxiogène pour les parents et leurs enfants. Force est de constater que l'accès à certaines études universitaires est maintenant plus difficile et que la hausse du chômage a contribué à créer un état de tension qui, cumulé à la baisse du taux de natalité au Québec et à l'avènement du bébé unique objet de tous les amours, conduit les parents à vouloir offrir le meilleur à leur bambin. On se fait un devoir de lui proposer les meilleurs services dans tous les domaines pour qu'il soit dès le plus jeune âge parmi les plus performants. La réussite n'est-elle pas la voie du bonheur ?

Troisièmement, la mondialisation et la compétition parfois sauvage entre pays et cultures sont des réalités du monde actuel. Sur le plan sportif ou artistique, les adolescents, voire les enfants, entrent de plain-pied dans une compétition à l'échelle internationale alors qu'ils sont en train de construire leur propre identité. Ne faut-il pas d'abord façonner et affermir celle-ci avant de se lancer à la conquête du monde ? Ne vaudrait-il pas mieux laisser le temps aux adolescents de connaître leur propre environnement avant d'envisager l'internationalisation ? Sommes-nous sûrs que les artistes ou les sportifs de haut niveau qui s'aventurent dans des compétitions internationales peuvent subir sans dommages la pression que celles-ci exercent sur eux ?

Ces différents facteurs sociaux ont pu, à mon avis, amener bon nombre de parents et d'intervenants à placer leurs adolescents très tôt sur la voie de l'excellence. Or, sciemment ou non, on n'a souvent pas pris en compte les besoins et le bien-être des adolescents, et l'excellence a surtout été le prétexte d'affaires fructueuses.

Des milieux d'incubation variés

Les adolescentes anorexiques proviennent de milieux très variés. Ce sont des étudiantes inscrites à des programmes scolaires d'élite tels que les cursus sport-études ou art-études, des sportives de haut niveau – championnes de niveau olympique ou espoirs –, ou de jeunes vedettes artistiques. Les étudiantes en médecine sont également de bonnes candidates à l'anorexie. Que ce soit au Québec ou ailleurs, les surdoués s'orientent en général vers les sciences, même si, personnellement, ils ne sont pas des plus motivés.

Dans les disciplines sportives de haut niveau, la manière dont les entraîneurs et les parents s'y prennent pour exercer un plein contrôle sur le corps de l'adolescent m'a toujours sidéré. Dépasser sans cesse ses limites, maîtriser sa douleur, viser la victoire, devenue l'unique but de l'existence, tout cela ne permet pas aux adolescents d'associer les notions de plaisir et de travail. Comme les toxicomanes à la recherche d'un ailleurs plus excitant que leur quotidien, les sportifs ou les artistes peuvent alors se mettre à vivre sur le mode de l'éclatement, du toujours-plus, dans un désir constant d'objectifs hors d'atteinte.

De plus, il n'est pas rare que les entraîneurs exercent un contrôle sur la vie sociale de l'adolescent, de sorte que, à force d'entraînements et de déplacements, ce dernier se retrouve rapidement marginalisé et séparé de ses amis. Il en vient ainsi peu à peu à être dépossédé de son corps et de sa vie.

Je me rappelle Isabelle qui avait été la vedette d'un spectacle de cirque en Europe. À la suite d'une baisse de son rendement et de son état d'épuisement, on lui avait suggéré de venir me consulter. Elle m'avait longuement parlé de ses conditions de travail. Pour accomplir des performances artistiques, elle devait rester mince et, pour y parvenir, elle n'avait pas trouvé d'autre moyen que de se faire vomir. En conséquence, elle avait toujours faim et elle n'était pas un cas isolé. Un jour, m'a-t-elle confié, un autocar transportant des jeunes filles en provenance des pays de l'Est est arrivé pour un essai en Europe ; elles étaient toutes plus sveltes les unes que les autres et leur physique répondait parfaitement aux exigences liées aux différents rôles. Ce soir-là, effrayées par la parfaite apparence de cette cohorte de concurrentes, plusieurs candidates nord-américaines se sont fait vomir.

Dans le domaine du sport, toutes les disciplines ne présentent pas les mêmes défis. En natation synchronisée, les corps des jeunes filles doivent approcher de la perfection ; il en va en effet de la réussite de l'équipe. Si par malheur l'une d'elles diffère du groupe sur le plan physique, elle se sentira coupable et responsable de l'échec subi par l'équipe.

Si fabriquer des corps sur mesure est contre nature, le retour à une morphologie normale ne se fait pas sans heurts. En effet, les jeunes athlètes qui ont eu souvent le sport comme seul repère sur le plan de l'identité se sentent souvent rejetées quand arrive le temps de la retraite vers quinze ans, dix-sept ans ou vingt ans. Il leur faut reprendre une vie et une alimentation normales et diminuer le nombre de leurs exercices, accepter d'atteindre leur poids naturel et apprendre à vivre dans leur « vrai » corps. Pour nombre d'entre elles, perdre leur morphologie d'athlète représente un deuil long et difficile. Mais qui s'en soucie ?

Les élèves inscrits aux programmes d'enseignement internationaux ou à d'autres cursus de haut niveau ne sont pas non plus à l'abri. La somatisation sous forme de céphalées, de maux de ventre, de myalgies et de problèmes digestifs est fréquente. Le décodage précis de ces divers malaises prend du temps et leur relation avec le stress de la performance est souvent niée ; il leur est en effet impossible d'admettre que la souffrance puisse apparaître au terme d'un parcours aussi parfait.

Autre population à risque, les jeunes artistes ayant connu la popularité dès leur jeune âge peuvent se trouver piégés par leurs succès médiatiques. Les chouchous de la télévision qui font la joie des téléspectateurs voient leur vie entièrement contrôlée par leur entourage. Purs produits d'un marketing de l'éphémère, ces jeunes arrivent à l'adolescence sans savoir véritablement qui ils sont. Ont-ils seulement eu le temps de se découvrir ?

Certaines étudiantes en sciences de la santé peuvent également montrer quelques fragilités. Les places à l'université étant contingentées, elles doivent se surpasser pour se classer dans le peloton de tête, ce qui entraîne tôt ou tard des troubles et des tensions. Surgissent alors quelques questions brûlantes : l'adolescent peut-il, seul, atteindre ce niveau d'excellence ? Doit-il être aidé par l'institution qu'il fréquente et par ses parents ? À qui reviennent les notes des relevés ? Comment distinguer celui qui a véritablement réussi par lui-même ? Devient-on médecin du fait de ses qualités humaines personnelles ou du fait d'une remarquable capacité de s'adapter au système de sélection ?

Depuis les années 1990, les adolescentes de l'excellence, venues de tous les horizons, représentent une proportion très élevée de ma clientèle. L'écoute attentive de leurs plaintes m'a permis de percevoir chez elles des fragilités particulières et des appels à l'aide. Bien sûr, tous les adolescents de l'excellence n'éprouvent pas des difficultés, et les problèmes de somatisation ne concernent qu'un certain nombre d'entre eux.

Pas de place pour le farniente

Que les jeunes consultent de leur propre chef ou non, qu'elles connaissent ou non la cause de leurs maux, leur souffrance est souvent liée à des facteurs environnementaux aisément reconnaissables. Tout d'abord, leur emploi du temps est toujours trop chargé. Très tôt dans leur vie, elles ont connu un quotidien rythmé par de nombreuses activités choisies par les parents, évidemment pour leur bien, ce qui laissait peu de place pour la rêverie et l'ennui, pourtant fort utiles pour leur développement. Pas de temps réservé à la flânerie, pas de temps mort.

Une socialisation aseptisée avec peu d'ouverture sur le monde extérieur est également leur apanage. Leur vie étant organisée en fonction d'éléments extérieurs, leur socialisation est nécessairement restreinte. Leurs consœurs et leurs entraîneurs sont souvent leurs seules fréquentations. Il n'est pas rare d'ailleurs que les adolescentes se mettent plus tard en couple avec leur entraîneur ou leur gérant, ces derniers ayant été les personnes les plus significatives de leur existence, les bâtisseurs de leur identité. Notons également que le milieu fermé et exclusif dans lequel elles évoluent favorise une soumission presque aveugle aux exigences des individus qui les dirigent. Pourquoi douter d'un système qui leur apporte le bonheur et la réussite ? La critique ne leur est pas souvent permise, aussi endosseront-elles toute la responsabilité en cas d'épreuve ou d'échec.

Enfin, l'absence de créativité est un autre trait caractéristique de ces jeunes filles. On se sert parfois de l'expression « techniciens de l'apprentissage » pour désigner celles qui ont atteint la perfection dans leurs sphères, mais dont la personnalité peut paraître désincarnée. La course aux bonnes notes, le stockage dans la mémoire d'une énorme somme de connaissances, les nombreuses répétitions et heures d'entraînement peuvent en effet affecter la créativité, importante à l'âge de l'adolescence. La créativité est délaissée au profit de l'apprentissage de techniques. Une fois de plus, tout est dicté de l'extérieur. Il n'est dès lors pas surprenant de constater chez ces adolescentes une absence de plaisir dans les actions qu'elles exécutent et, surtout, un grand déficit sur le plan de la construction de leur identité. Car, étant donné leur rythme de vie trépidant, l'épuisement n'est jamais très loin. Celui-ci constituera évidemment un drame personnel puisqu'il signifie l'échec d'un projet, la fin d'une carrière et la mise à la retraite prématurée. L'excellence est passagère ; cette évidence est malheureusement trop souvent niée. La chute et le retour à l'anonymat apparaissent alors inévitablement comme de terribles épreuves.

Les candidats aux études de médecine sont, quant à eux, piégés par les modalités d'admission dans les universités. La compétition est féroce et l'erreur de parcours peut être fatale. Un rendement sans cesse élevé se concilie difficilement avec une vie normale d'adolescent, qui met au premier plan la socialisation, l'écoute et l'apprentissage avec et par les autres. Paradoxalement, à l'étape finale de la sélection, les étudiants passent une entrevue qui a notamment pour but d'évaluer leur capacité d'empathie et de communication. Mais comment auraient-ils pu développer des qualités de communication interpersonnelle puisqu'ils ont toujours évolué dans un système centré sur la compétition et sur l'individu. Certains étudiants, durant leurs cours de médecine, seront même rapidement aux prises avec une sorte de déflagration psychique indiquant une fragilité de longue date. Cette fragilité était dissimulée derrière une réussite exemplaire soutenue par un groupe social – parents, directeurs d'écoles, professeurs – sans cesse présent et envahissant. Sans ce soutien, l'étudiant craque.

Les limites de l'excellence

Il est évident que le chemin de l'excellence n'est pas jalonné que de problèmes. Nous pouvons continuer à attendre beaucoup de nos enfants et de nos adolescents, mais certainement pas à n'importe quel prix. Il est essentiel de protéger l'identité du jeune « en construction » en évitant soigneusement de l'envahir. Car en le surprotégeant, nous courons le risque de l'étouffer et d'accroître sa vulnérabilité. Aussi doit-on examiner de près la conspiration du silence qui entoure parfois une baisse de rendement chez un jeune jusque-là performant, conspiration qui peut ultimement mener à son abandon. Dès qu'une baisse de régime est constatée, il faudrait donc se poser des questions et reconnaître le droit à un certain relâchement ou à l'erreur, sans laisser le désarroi s'installer ni considérer la chose comme une catastrophe.

En conclusion, l'adolescence est l'âge où l'on doit choisir parmi de multiples chemins. Il faut que cette période soit propice à la créativité et à la construction identitaire. Quant à la quête de l'excellence, son prix a des limites. D'autant que l'excellence est parfois décevante : l'avenir des jeunes filles s'avère souvent plus modeste que ce que les autres avaient pu espérer. La journaliste Hélène Pedneault, dans *Pour en finir avec l'excellence* (Éditions du Boréal, 1993), affirme que l'excellence se présente sous la forme d'une trinité damnée : potion, poison et prison. Cesser de croire à l'effet potion qui amène le bonheur ; éviter la morbidité, l'effet poison, qui y est associée et enfin refuser la prison, c'est-à-dire l'enfermement auquel peut conduire la poursuite de l'excellence.

Les adultes – parents, entraîneurs, professeurs, directeurs d'écoles, amis – se doivent d'être attentifs au moindre signe d'essoufflement manifesté par les adolescentes en quête d'excellence et d'agir rapidement de manière à empêcher que la morbidité aboutisse à une maladie aussi grave que l'anorexie mentale.

CHAPITRE 4

Qu'est-ce que l'anorexie mentale ?

Le terme « anorexie » vient du grec *anorexia* qui signifie « perte d'appétit ». Lorsqu'on désigne l'anorexie comme un trouble de la conduite alimentaire (TCA), on parle d'anorexie mentale qui relève d'une psychopathologie dont on ne connaît pas toute la complexité et dont l'étiologie précise nous échappe encore. Bien que l'anorexie – perte de l'appétit fréquente chez les personnes très malades – soit différente de l'anorexie mentale, on utilise dans le langage courant le terme « anorexie » pour parler de l'anorexie mentale. Cette maladie qui serait déclenchée par la combinaison de plusieurs facteurs – organiques, psychiques, environnementaux, génétiques, etc. – se révèle de plus en plus complexe au fur et à mesure que nous l'étudions.

Une maladie difficile à définir

Le médecin français Charles Lasègue, le premier à décrire l'anorexie mentale d'un point de vue médical, publie en avril 1873 dans les *Archives générales de médecine* un article sur la maladie qu'il nomme « anorexie hystérique », selon une manière de s'exprimer propre à son époque. Il est intéressant de noter que l'auteur mettait, déjà à l'époque, l'accent sur la complexité de la maladie, une maladie qui se déclare chez un individu de façon sournoise et s'installe pour une longue durée. Charles Lasègue souligne également dans son article l'impuissance des membres de la famille et des intervenants. Il précise que la famille ne dispose que de deux méthodes, que « l'anorexique épuisera toujours : prier ou menacer ». Ce constat est malheureusement toujours d'actualité.

Plus tard, au milieu du XXe siècle, les médecins étudient cette maladie du point de vue endocrinien. Ils pensaient qu'elle était due à une forme de dérèglement hormonal. Mais ce que l'on croyait être une cause de la maladie en était plutôt une conséquence.

Une trentaine d'années plus tard, l'attention des chercheurs s'est concentrée sur le système psychique. Dans les années 1980, Paul E. Garfinkel et David M. Garner (un psychiatre et un psychologue) établissent une étiologie multifactorielle. Ils identifient des facteurs prédisposants liés à l'individu, à la famille et à l'environnement culturel ainsi que des facteurs précipitants – par exemple, l'insatisfaction à l'égard du poids corporel et de l'apparence physique – qui, ensemble, déclenchent une conduite anorexique. Celle-ci entraîne des réactions dans l'organisme qui viennent par rétroaction entretenir ou aggraver la maladie en agissant sur les facteurs prédisposants et précipitants. Dit autrement, la jeune fille qui, pour des raisons personnelles, se trouve un peu trop grosse à quatorze ans entreprend un régime banal, perd au début quelques kilos et éprouve en jeûnant des sensations stimulantes de bien-être et de contrôle qui l'inciteront à se maintenir dans un état de restriction alimentaire. Comme elle est perfectionniste, elle sera toujours insatisfaite de son apparence, de sorte que, malgré son poids plume et les inquiétudes manifestées dans son entourage, elle se sentira encore trop grosse.

Une nouvelle forme de dépendance

En 1989 et 1990[1], le psychiatre français Philippe Jeammet publie deux articles scientifiques qui renouvellent la manière d'envisager la maladie; l'anorexie constituerait, selon lui, une forme de dépendance. Une dépendance non pas à un psychotrope comme chez les toxicomanes, mais à un état psychique lié à la jouissance du contrôle, du refus, du vide, du rien, à l'image de son monde intérieur. Le plaisir qu'a l'anorexique à contrôler sa faim et son corps et à combler ainsi le vide qu'elle ressent devient en quelque sorte sa drogue. Philippe Jeammet pose l'hypothèse de l'existence de « liens entre les différents troubles du comportement à l'adolescence, entre anorexie et boulimie, bien sûr, mais aussi entre ceux-ci et la toxicomanie, les tentatives de suicide, les conduites d'opposition, de refus scolaire et de désinvestissement des activités ». Tous ces troubles sont communs à l'adolescence et font l'objet de consultations médicales. L'adolescence semble ainsi favoriser l'émergence de ces pathologies chez des personnes vulnérables aux troubles de dépendance. L'adolescence serait donc un

1. Philippe Jeammet, « Psychopathologie des troubles des conduites alimentaires à l'adolescence. Valeur heuristique du concept de dépendance », 1989, *Confrontations psychiatriques*, 31, p. 177-202 ; « Les destins de la dépendance à l'adolescence », 1990, *Neuropsychiatrie de l'enfance*, 38, p. 190-199.

élément déterminant de la problématique de la dépendance, dont feraient partie les troubles de la conduite alimentaire.

Cette conception suivant laquelle l'anorexie mentale de l'adolescence serait une nouvelle forme de toxicomanie séduit les médecins de la première heure spécialisés en médecine de l'adolescence comme moi. Les patientes se comportent en effet de la même manière que les adolescents toxicomanes que j'ai rencontrés au cours des années 1960 et 1970. Par leur conduite, elles nous obligent à innover constamment sur le plan de l'approche thérapeutique. Voir dans l'anorexie et la boulimie des formes de toxicomanie permet non seulement de saisir la complexité de ces maladies, mais aussi d'entrevoir les enjeux de l'intervention.

Jeammet écrit à ce sujet: « C'est avec la toxicomanie que cette notion de dépendance s'est imposée comme étant la plus pertinente pour rendre compte de la nature du lien établi entre le toxicomane et l'objet de sa toxicomanie. Ce lien se définit par son caractère de nécessité: c'est un besoin avec ce que ce terme comporte d'analogie avec les besoins physiologiques indispensables à la conservation du corps... Mais la toxicomanie ne se laisse pas assimiler à la seule dépendance physique, et le problème se complexifie avec le recours à la dépendance psychologique. Dès lors, en effet, on est obligé de faire appel au fonctionnement psychique pour comprendre ce qui pousse le sujet vers des conduites de dépendance, ce qui permet qu'elles se maintiennent, en quoi elles sont nécessaires pour assurer son équilibre, et de quel équilibre il s'agit. »

Si je considère mon expérience auprès des toxicomanes des années 1970 et des anorexiques – j'ai suivi l'évolution de cas très épineux –, j'aperçois des similitudes entre ces deux groupes de patients. Les défis sont aussi complexes que nombreux; la patience et la déception sont toujours présentes dans la vie quotidienne des intervenants. À l'instar des toxicomanes, l'adolescente a besoin de beaucoup de temps pour sortir de son trouble alimentaire; son parcours sera jalonné de crises et de sentiments d'échec.

L'anorexie du point de vue développemental

Le pédiatre spécialisé en médecine de l'adolescence appelé à recevoir des adolescentes en consultation peut à bon droit aborder l'anorexie mentale d'un point de vue développemental. Les patientes ont en effet de la difficulté à réaliser les tâches développementales propres à leur âge: elles subissent les transformations pubertaires et leurs effets sur le plan psychique: la construction d'une nouvelle image corporelle sexuée, l'acceptation de la sexualité, l'acquisition de leur propre identité par un travail de séparation et d'individuation. C'est principalement sur ces considérations théoriques que se fonde mon travail clinique auprès des adolescentes présentant des troubles de la conduite alimentaire.

Bien que cliniquement identifiée, l'anorexie mentale peut prendre un certain temps avant d'être diagnostiquée. Cela est principalement dû au fait que la patiente ne se voit pas malade, refuse tout conseil et toute observation concernant sa façon de s'alimenter et qu'elle évite les situations qui mettraient en évidence son amaigrissement anormal. Il peut s'écouler alors une période assez longue avant qu'on s'aperçoive que la patiente n'est pas juste en train de suivre un régime efficace, mais qu'elle est bel et bien malade. L'anorexie procure en effet un état de bien-être intense à la patiente. Mue au début par une quête de perfection sur les plans diététique et esthétique, la jeune fille perd du poids au rythme qui lui convient, et le sentiment de victoire la comble. Le contrôle de sa faim et de son corps lui permet inconsciemment d'échapper à un vide intérieur très angoissant. Comme elle se montre très déterminée dans sa quête illusoire de perfection et qu'elle est prise dans cette jouissance du contrôle, il sera évidemment très difficile de mettre fin à sa conduite restrictive.

Contrairement aux autres adolescents hospitalisés qui appellent de leurs vœux un rapide rétablissement, l'anorexique ne veut pas guérir. Un collègue oncologue dont une patiente traitée initialement pour un cancer avait développé par la suite une anorexie me confiait que soigner une anorexie lui paraissait nettement plus difficile que s'occuper d'un cancer. Je suis de son avis. La relation de confiance entre le médecin et la malade, essentielle dans les deux cas, se vit en effet de manière très différente. La première résiste, la seconde coopère. De plus, ces deux maladies comportent des états d'amaigrissement (émaciation) qui ont des sens très différents : une émaciation de souffrance chez la cancéreuse et une émaciation de triomphe chez l'anorexique.

Des critères diagnostiques en évolution

L'anorexie mentale répond à des critères précis qui permettent le diagnostic. Comme la compréhension de la maladie, les critères diagnostiques ont évolué au fil du temps.

Au début de l'histoire médicale de la maladie, la littérature se satisfaisait des grandes descriptions cliniques données par Charles Lasègue et Sir William Gull à la fin du XIXe siècle. En 1972, John Feighner a proposé des critères diagnostiques précis afin de faciliter notamment la recherche clinique.

- Âge d'apparition : avant 25 ans.
- Perte de poids de 25 % par rapport au poids initial.
- Distorsion de l'attitude par rapport à l'alimentation se manifestant par :
  - Négation de l'état de maigreur.
  - Engouement apparent pour la perte de poids et plaisir excessif pris à refuser la nourriture.
  - Désir d'arriver à une minceur extrême et de la maintenir.
  - Manipulation excessive des apports alimentaires (calculs des calories, baisse radicale des quantités ingérées, etc.).
- Absence de maladie somatique ou psychiatrique susceptible d'expliquer la perte de poids.
- Au moins deux des éléments suivants : aménorrhée, lanugo, bradycardie, périodes d'hyperactivité, épisodes de boulimie, vomissements induits volontairement ou abus de laxatifs.

En 1982, Paul E. Garfinkel et David M. Garner ont modifié deux des critères de Feighner : ils ne donnent aucune restriction pour l'âge d'apparition de la maladie ni pour la perte de poids, qui peut représenter seulement 15 % du poids initial.

Enfin, l'Association psychiatrique américaine détermine des critères spécifiques qui sont inclus dans le *DSM* (*Manuel diagnostique et statistique des troubles mentaux*).

Nous en sommes actuellement à la version 4 (le *DSM-IV*) ; la version 5 (le *DSM-V*), qui paraîtra bientôt, contiendra de nouvelles adaptations.

Bien que les critères du *DSM-IV* soient universellement reconnus et utilisés en psychiatrie, ils ne sont pas, à mon avis, très pertinents en pédiatrie et particulièrement en médecine de l'adolescence. Les voici :

- Refus de maintenir le poids corporel à un niveau minimum normal ou légèrement au-dessus pour l'âge et la taille. Par exemple, perte de poids s'expliquant par le désir de maintenir le poids corporel à moins de 85 % de la normale ; ou incapacité à prendre du poids pendant la période de croissance, conduisant à un poids inférieur à 85 % de la normale.
- Peur obsédante de prendre du poids ou de devenir gros, alors que le poids est inférieur à la normale.
- Incapacité d'apprécier objectivement son poids corporel ou ses formes, influence du poids ou de l'aspect corporel sur l'estime de soi, ou refus d'admettre la gravité de l'amaigrissement.
- Chez la femme postpubère, absence d'au moins trois cycles menstruels consécutifs. Une femme est considérée comme aménorrhéique si ses règles ne surviennent qu'après administration d'hormones (par exemple, des œstrogènes).
- Type restrictif : Pendant l'épisode d'anorexie mentale, la personne ne présente pas d'épisodes récurrents de frénésie alimentaire (boulimie) ou de conduites purgatives.
- Type boulimique purgatif : Pendant l'épisode actuel d'anorexie mentale, la personne présente des épisodes récurrents de frénésie alimentaire (boulimie) ou des conduites purgatives (vomissements provoqués, abus de laxatifs, de diurétiques ou de lavements).

Ces critères comportent en effet des limites : ainsi, si je me fonde sur mon expérience de pédiatre, le tableau clinique présenté par les adolescentes ne comprend pas toujours tous les symptômes requis. Que faire alors ? Nier l'existence du problème et laisser la patiente dans son état ? Ou envisager malgré tout un diagnostic d'anorexie ? Je penche pour la deuxième solution, car elle permet à l'adolescente d'amorcer une réflexion sur son état.

Ma règle des 4 A

Peu satisfait pour ma part de ces critères diagnostiques trop restrictifs, j'ai choisi, comme clinicien, de recourir à la triade symptomatique des 3 A, un concept utilisé dans la littérature médicale française qui consiste à décrire l'anorexie par trois A ; A pour Anorexie ou conduite alimentaire restrictive, A pour Amaigrissement et A pour Aménorrhée, c'est-à-dire arrêt des menstruations.

À cette formule des 3 A, j'ai ajouté un quatrième A pour Adolescence, qui est pour moi un critère essentiel dans ma pratique hospitalière. L'adolescence est en effet une période de la vie qui, en raison de sa complexité sur les plans tant

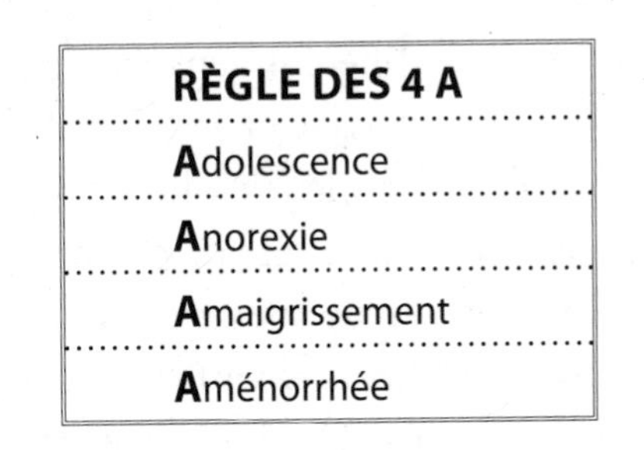

RÈGLE DES 4 A
Adolescence
Anorexie
Amaigrissement
Aménorrhée

physique que psychologique et social, est déterminante dans l'apparition et le développement de la maladie, ainsi que Philippe Jeammet l'a suggéré.

Autrement dit, selon moi, tout comportement alimentaire restrictif présent à l'adolescence qui conduit à un amaigrissement et à une aménorrhée doit être considéré comme suspect, inhabituel et inapproprié. Quoi que puisse dire l'adolescente, qui tentera de nous convaincre que sa nouvelle façon de s'alimenter résulte d'un virage santé qui s'accorde avec le discours social actuel.

Notons que l'aménorrhée en tant que critère de diagnostic suscite de telles interrogations que la tendance est à simplement le laisser de côté dans le tableau clinique. Il est possible en effet que, du fait de la prise d'anovulants, l'anorexique ne souffre pas de dérèglements hormonaux. L'aménorrhée, de plus, ne concernant pas les garçons, ce critère peut effectivement paraître contestable. Or, ce n'est pas parce que le jeune homme ne présente pas de signe visible de modifications hormonales qu'il n'en subit aucune. S'il est correctement questionné, il répondra qu'il a observé une baisse notable de sa libido, qu'il n'a plus aucun intérêt pour la sexualité, qu'il se masturbe moins souvent ou même plus du tout. On constate donc une régression sur le plan hormonal qui s'exprime différemment chez le garçon. Peut-être serait-il plus juste d'associer le A de Aménorrhée à « Asexué(e) » ou à « Absence de sexualité » propre à cet âge ?

Comme nous venons de le voir, c'est à l'époque de l'adolescence que survient le plus souvent l'anorexie mentale. Celle-ci vient en quelque sorte réconforter ou accompagner l'adolescente à ce moment précis de son développement physique et mental. Cette maladie devient alors un refuge, un nouvel univers, un champ inconnu à explorer qui vient apaiser sa peur de grandir et combler son vide intérieur. L'adolescente anorexique, qui avait jusque-là satisfait aux attentes conscientes et inconscientes de son entourage, comme si elle avait construit son identité à partir d'une prescription externe, reprend la maîtrise de son évolution en s'appuyant sur la nouvelle identité qu'elle trouve dans cette maladie. L'anorexie devient alors son projet de réalisation personnelle précisément à l'âge de la quête identitaire. L'anorexie est ainsi pour elle « son » identité momentanée. Là est le piège qui l'accule à une impasse, précisément au cours du processus de séparation et d'individuation, étape de développement normal chez l'adolescent.

En ce sens, on peut dire que l'anorexie est de l'autosabotage. Elle produit, entre autres, une dysharmonie de développement typique, assez particulière du fait de l'âge de la patiente. Les âges chronologique, biologique, gynécologique, pubertaire et social propres à l'adolescence n'évoluent plus au même rythme ; des écarts apparaissent et s'expriment sur le plan clinique. Cela explique pourquoi une adolescente anorexique de seize ans choisira de s'isoler ; non menstruée à cause de son taux d'hormones sexuelles équivalent à celui d'une jeune fille de onze ans, elle pourra difficilement nouer des liens d'amitié avec des filles plus mûres qu'elle.

Les rôles protecteurs et persécuteurs de l'anorexie

L'anorexie mentale est à la fois une source de bien-être et un acte de violence. Un bien-être, car la maladie marque un temps de pause qui est le bienvenu, comme si la patiente voulait voir son corps exprimer à sa place que tout va trop vite dans sa vie et comme si elle souhaitait interrompre momentanément son développement physique et psychique. Si les soignants ignoraient ou sous-estimaient ce rôle protecteur, elle serait dans une fâcheuse situation.

Cependant, l'anorexie représente également un acte de violence que la jeune fille accomplit envers elle-même avec toute la force qui la caractérise. Les manifestations physiques et psychiques qui accompagnent l'anorexie telles que les automutilations superficielles, l'hyposexualisation, la dysharmonie du développement et l'isolement, de même que l'état d'errance qui s'installe lorsque la patiente est livrée à elle-même et qu'elle ne reçoit plus de soins, sont l'expression d'une violence qu'elle s'inflige en raison de sa maladie. Il importe alors d'agir à son égard avec une extrême prudence et d'exclure tout protocole de soins précipité pour empêcher la violence d'augmenter. Son état clinique peut en effet, à ce stade, très facilement empirer.

Ces rôles à la fois protecteur et persécuteur de la maladie ne doivent pas être sous-estimés. L'entourage qui souhaite voir la malade se rétablir au plus vite peut avoir de la difficulté à les comprendre.

Enfin, peut-être l'anorexie est-elle aussi pour certaines une façon détournée de s'opposer à leurs parents en tant qu'adolescentes. Elle correspondrait alors à une simple rébellion passagère. Dans ce cas, on peut s'attendre à ce que la maladie dure peu longtemps, probablement moins d'un an.

Des comportements cliniques symptomatiques

En plus d'effectuer la démarche rigoureuse et nécessaire qui consiste à rechercher les critères diagnostiques de l'anorexie, il n'est pas inutile d'observer les patientes. En effet, leur comportement dans notre unité de soins à l'hôpital, leur attitude les unes envers les autres et leurs habitudes quotidiennes en disent long sur leur maladie.

Il est aisé de reconnaître les anorexiques parmi nos adolescents hospitalisés. Elles sont physiquement délicates, toujours en mouvement – elles marchent rapidement dans le corridor et autour de leur lit, parfois en étudiant leurs maths et leur français ou en lisant. La station debout leur convient parfaitement ; elles ne se couchent que pour dormir, contrairement aux autres adolescents en convalescence. Elles n'aiment pas l'heure des repas et mettent un temps infini à manger. Sur le plan médical, elles n'expriment aucune souffrance, elles refusent les médicaments et les perfusions et excluent totalement les tubes de gavage.

Leur comportement social est également particulier. Elles éprouvent un certain malaise lorsqu'une nouvelle anorexique plus maigre qu'elles-mêmes est hospitalisée. Cette rivalité, pas toujours avouée, voire rarement reconnue, existe pourtant et peut les amener à marcher encore plus rapidement dans les couloirs ou à monter et descendre les escaliers de l'hôpital pour ne pas se laisser distancer par le nombre de calories dépensées.

J'ai connu ainsi deux sœurs jumelles anorexiques qui avaient été hospitalisées en même temps. Il était frappant de voir la compétition dans laquelle elles s'étaient engagées toutes deux; c'était à celle qui serait la plus maigre. On peut imaginer le désarroi des parents qui les avaient fait hospitaliser. À l'hôpital, la compétition était entretenue; si l'une se rendait dans les étages inférieurs pour une raison ou pour une autre, la sœur jumelle déployait une grande activité pour compenser son inaction relative; les pas étaient presque comptés.

Sur le plan vestimentaire, l'anorexique se reconnaît au premier regard. Caroline, âgée de dix-huit ans, porte des jeans de taille double zéro, c'est-à-dire la plus petite taille adulte. Elle sait que si elle continue à maigrir, elle devra se trouver des vêtements dans le rayon des enfants, ce qui sera difficile en raison de la longueur de jambe du pantalon. Réalisant qu'il lui sera impossible de trouver un vêtement adapté à sa taille, Caroline accepte enfin de cesser de maigrir. La garde-robe est ici un signe qui ne trompe pas. Il est par ailleurs intéressant de noter que l'habillement des patientes anorexiques a évolué au fil du temps. Au début de ma pratique médicale, les jeunes filles anorexiques portaient des vêtements amples, le plus souvent en coton – ils étaient devenus trop grands à la suite de leur amaigrissement –, pour cacher leur maigreur et, d'une certaine façon, tromper leur entourage. Aujourd'hui, les anorexiques s'habillent comme les autres adolescentes; elles portent des vêtements à la mode, des jeans à taille basse retenus par leurs crêtes iliaques proéminentes et des chandails amples dont le décolleté fait ressortir la maigreur de leurs seins. Malgré leurs vêtements *fashion*, leur silhouette n'évoque pas la sensualité propre à leur âge. C'est comme si ces jeunes filles avaient abandonné toute leur féminité, qu'elles n'éprouvaient plus aucune gêne vis-à-vis de leur maigreur ou qu'elles la niaient tout simplement, comme si elles ne voyaient plus leur corps décharné.

Le décalage entre les attributs propres à leur génération – mode vestimentaire et gadgets multimédias par exemple – et leur corps d'enfant est frappant. N'est-ce pas le signe que ces jeunes filles ont voulu arrêter temporairement le cours de leur vie en appuyant sur la touche « pause » ? Ou qu'elles sont en recherche de leur propre identité parce que tout a été, pendant un temps plus ou moins long, trop rapide pour elles ? N'est-ce pas une forme de régression, comme si elles voulaient revenir en arrière et retrouver leur corps d'enfant ?

À force de les observer dans les couloirs, je peux affirmer que la maigreur et l'hyperactivité excessives de ces jeunes filles suffisent presque à elles seules pour diagnostiquer l'anorexie mentale.

Par conséquent, il ne me paraît pas réducteur de dire que toute perte de poids significative ou tout ralentissement de croissance à l'adolescence doit nous faire penser à une anorexie mentale. L'adolescence est en effet une période de croissance où la taille doit augmenter de 20 % et le poids doubler entre dix et vingt ans.

Un dernier phénomène distingue les anorexiques de nos autres patients : elles ont, au fil des années, envahi notre clinique, imposé leurs particularités par la puissance de leur maladie et, sans le savoir, bousculé les règles administratives courantes. Alors que la tendance actuelle est à la réduction maximale du temps de séjour des patients, ces adolescentes qui refusent de s'aliter et qui ne se considèrent pas comme malades occupent chez nous la plupart des lits et ont la durée d'hospitalisation la plus longue. Un paradoxe.

Une maladie comportant quatre actes

« Vous ne me soignerez pas si je ne veux pas », disent-elles souvent à leur premier rendez-vous. D'emblée, les adolescentes anorexiques annoncent la couleur, elles laisseront peu de place à une intervention externe. Cependant, en faisant preuve de tact et de patience et en leur témoignant de l'affection, nous arrivons à tisser avec elles un lien, si ténu soit-il. Une fois ce lien établi, mon rôle consiste à les accompagner vers la guérison.

Certes, leur état de santé parfois catastrophique nécessite des soins médicaux immédiats et il est de notre devoir de leur faire comprendre l'importance d'agir rapidement. Il est nécessaire de leur donner un aperçu aussi juste que possible du temps dont nous aurons besoin pour les amener à revenir dans une zone de sécurité, quitte à devoir réviser nos pronostics. Du fait de leur extrême contrôle sur leur corps, il leur est impossible de s'en remettre aveuglément à leur médecin comme le feraient d'autres malades. Ce dernier se doit alors d'être d'une grande rigueur morale pour ne perdre ni leur confiance ni leur collaboration, déterminantes au cours de leur suivi.

Une fois le suivi médical engagé, les parents devront faire leur possible pour que la jeune fille honore ses rendez-vous. La fidélité aux rendez-vous est indispensable en raison du fait que le traitement de la maladie dure de deux à cinq ans au minimum, qu'il a des hauts et des bas, les périodes positives alternant avec les périodes de découragement.

Face à cette maladie complexe et insidieuse, deux approches thérapeutiques sont possibles : soit l'équipe médicale prend en charge ces jeunes filles à cause de leur maigreur et de leur poids et, dans ce cas, le projet thérapeutique consiste principalement en une reprise de poids, soit l'équipe concentre ses efforts sur l'impasse développementale, sans pour autant laisser de côté le problème de poids, et le projet thérapeutique est plus complet, plus complexe, mais aussi plus ardu. Je privilégie, pour ma part, la seconde approche depuis le début de ma pratique médicale.

Ayant eu à m'occuper de milliers de cas, j'en suis venu à identifier et à interpréter d'une façon personnelle les différentes phases de l'anorexie mentale à l'adolescence : je distingue quatre périodes que j'ai appelées les « 4 actes » de la maladie. Chacun de ces actes présente ses particularités, et le soignant doit en tenir compte dans l'élaboration des plans de soins. Le traitement de la maladie sera donc toujours individualisé et tiendra compte de la période dans laquelle se trouve l'anorexique au moment de la première rencontre.

Même si mon approche de la maladie en quatre temps n'est pas acceptée par tout le monde, elle procède d'une observation clinique indéniable : le premier acte correspond à la chute pondérale du début de la maladie, le deuxième acte, au maintien du contrôle alimentaire malgré les interventions de l'équipe médicale, le troisième, à la perte de ce contrôle et à une reprise pondérale, et le quatrième, à la fin de la maladie, laquelle correspond en général au passage à l'âge adulte chez la plupart des adolescentes anorexiques. À l'acte 4, trois possibilités existent. La patiente atteint son

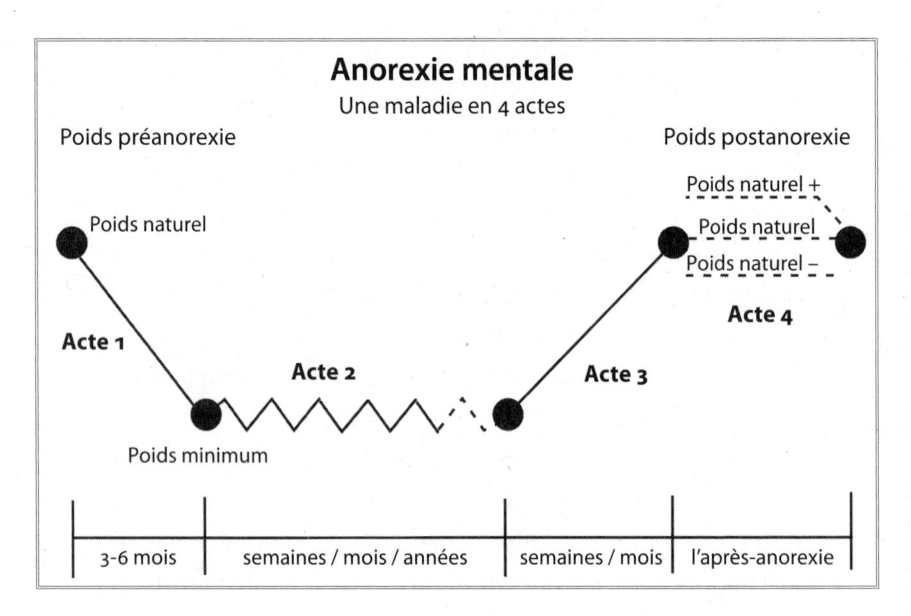

poids naturel et le maintient, ou elle a un surpoids qui s'estompera jusqu'au poids naturel, ou encore la patiente se maintiendra sous son poids naturel. Selon mon expérience, l'anorexique progresse de manière continue de l'acte 1 à l'acte 4 et il n'y a pas de régressions d'un acte à l'autre; une patiente arrivée à l'acte 3 – elle est donc en phase de reprise pondérale – ne peut régresser à l'acte 2, de la même manière qu'une patiente parvenue à l'acte 4 se maintiendra à ce stade. Ce schéma en quatre temps distincts facilement repérables sur le plan clinique m'est d'un grand secours pour proposer un plan de soins adapté à l'état d'évolution de ma patiente.

CHAPITRE 5

Acte 1: la perte de poids

Le premier acte de la maladie correspond à la période où apparaît le comportement d'autorestriction alimentaire. La patiente perd progressivement du poids et s'en réjouit. Elle perd habituellement entre 20 et 30 % de son poids initial, et cela peut aller jusqu'à 50 % ou 60 %.

J'insiste toujours sur l'importance de connaître le poids maximal préanorexie et le poids à la fin du premier acte parce que cela servira de référence tout au long du suivi de la patiente. C'est le poids maximal préanorexie que retrouveront ultérieurement la majorité des adolescentes lors de leur guérison. C'est une donnée que les patientes n'aiment pas que nous mentionnions mais avec laquelle nous devons travailler. J'ajoute que, personnellement, le terme « poids santé » ne m'a jamais paru approprié; je préfère utiliser les termes « poids génétique et personnel » ou « poids naturel », tout comme il existe une « taille génétique et personnelle ».

Une perte de poids significative caractérise donc le premier acte de la maladie; elle s'observe chez toutes les patientes sans exception. Des raisons propres à chacune – le plus souvent reconnues par l'adolescente, mais parfois inconnues ou niées – les amènent à adopter une conduite alimentaire restrictive d'allure saine au début, mais qui prendra rapidement de plus en plus de place dans leur vie jusqu'à envahir leur quotidien et à les mener à l'isolement. De plus en plus inquiets, les parents ne cesseront de les questionner et de les inviter à changer de comportement. Cette conduite alimentaire restrictive « choisie » (l'est-elle réellement ?) et omniprésente s'accompagne d'une activité physique intense, parfois excessive, à laquelle elles se livreront à plein temps pendant quelques mois.

Des mots qui blessent

À l'origine de l'anorexie de la jeune fille, on trouve souvent des remarques blessantes. Une remarque ou un mot anodins lancés sans aucune arrière-pensée peuvent avoir un effet dévastateur sur une personne fragile. Même une remarque bienveillante comme : « Tu grossis, tu devrais faire attention » peut faire des dégâts. Que dire alors d'une phrase assassine telle que celle-ci : « T'as de grosses cuisses, tu vas bientôt ressembler à ta mère ou à ta tante. » Même les conseils médicaux d'un pédiatre ou d'un médecin de famille désireux de ramener le poids de croissance à la normale peuvent être mal interprétés.

Fabienne était une jeune adolescente de quatorze ans qui présentait une sérieuse perte de poids et surtout une hyperactivité excessive. Elle était tellement épuisée lorsque je l'ai rencontrée pour la première fois que j'ai demandé son hospitalisation. Au cours du premier rendez-vous, elle m'a parlé de son pédiatre, qui lui avait demandé de prendre 5 kg parce qu'il la trouvait trop frêle. Or, m'avait-elle dit, elle avait une constitution délicate et elle ne voyait pas comment elle pouvait gagner autant de poids en quelques mois, cela lui paraissait hors d'atteinte. Probablement ce pédiatre voulait-il seulement lui dire qu'elle devait s'ajuster aux courbes de croissance normales. Mais Fabienne, au lieu de suivre son conseil et d'accepter de prendre un peu de poids, a réagi fortement et s'est prescrit elle-même un traitement consistant à faire une « réserve de minceur » pour compenser les 5 kg qu'elle devrait gagner un jour. Même les pédiatres devraient faire attention aux mots qu'ils emploient.

Kim, dix-huit ans, a mentionné au cours de nos différents entretiens à quel point son entourage féminin avait influencé son comportement. D'origine asiatique et entourée de femmes menues, cette jeune fille est arrivée à l'adolescence grande et charpentée, donc très différente du type de femme présent dans sa famille. De manière évidente, elle avait hérité des gènes paternels. Désemparées, les femmes du clan maternel – mère, tantes et grand-mère – ont cru bon d'inciter la jeune fille à faire attention à son poids et à ne pas trop manger. Kim, tenaillée par une faim permanente du fait de son âge et de sa corpulence, n'a trouvé pour satisfaire aux requêtes familiales que le recours aux vomissements.

Dans le domaine du sport et des performances artistiques – danse, patinage, gymnastique, etc. –, les phrases assassines sont souvent monnaie courante. Pour répondre aux attentes de l'entraîneur et aux exigences de leur discipline, les jeunes sportives n'ont d'autre choix que de restreindre leur alimentation, modeler leur corps et modifier leur apparence selon des normes imposées.

En général, c'est dans ce contexte de violences conscientes ou inconscientes, exercées de façon plus ou moins délibérée, que la conduite anorexique s'inscrit. Le sens qu'elles revêtent varie selon la patiente, et il lui échappe souvent au début. Mais peu à peu, bien qu'elle ne comprenne pas toujours les raisons profondes de sa conduite anorexique, elle admettra que son régime alimentaire est restrictif, qu'elle ne peut faire autrement et que son attitude lui procure une grande satisfaction. Car, pour la première fois, elle a un projet qui lui appartient en propre.

Le développement de la maladie

Habituellement, ce n'est qu'au bout de quatre à six mois que les parents parviennent à convaincre l'adolescente de consulter un médecin. C'est aussi le temps qu'il lui faut pour arriver à son poids minimal. Un poids qu'elle juge toujours trop élevé, ce qui déroute ses parents. Comment expliquer que cette jeune fille brillante, belle, intelligente et sage puisse manquer de discernement au point de se rendre très malade ? Désorientés et inquiets, les parents se placent alors en mode « attente » en espérant que les choses rentrent d'elles-mêmes dans l'ordre et que le bon sens qui caractérisait l'enfant reprenne le dessus. Mais le comportement anorexique s'aggrave, l'adolescente s'enferme dans sa maladie et la contrôle parfaitement. C'est à ce moment que les parents, à bout de patience et impuissants, lui proposent de consulter un psychologue ou une nutritionniste, ce que la jeune fille s'empresse de refuser ou d'accepter avec une totale indifférence. Dans presque tous les cas, ce sera un échec. Finalement, les parents appelleront une clinique spécialisée pour s'informer et demander de l'aide. C'est en général la mère qui prend le premier rendez-vous, soit par téléphone, soit en se rendant directement à notre hôpital. Elle est épuisée et désemparée. Nous recevons aussi quelquefois des appels de parents ayant été prévenus par l'école qu'il « faudrait faire quelque chose pour leur fille ». C'est comme s'ils n'avaient rien vu ou avaient nié l'existence du problème. Si l'amaigrissement ou les vomissements n'ont pas été notés par la famille pendant plusieurs mois, l'équipe médicale devra composer avec ce déni qui constitue une certaine forme de violence. Le lien qui est habituellement facile à établir avec des parents enclins à aider leur fille coûte que coûte complique dans ce cas la tâche des intervenants. Une méfiance s'installe du côté parental et la crainte d'être dénoncés ou reconnus comme de mauvais parents affecte les premières rencontres pourtant déterminantes pour la prise en charge. Le sentiment d'avoir échoué dans leur rôle parental rend ces parents particulièrement vulnérables et fermés, ce qui précarise la situation clinique. Convaincre une jeune fille qu'elle est en difficulté est déjà une gageure, mais parvenir à convaincre les parents que leur fille est malade est une prouesse.

Mais le plus souvent entre le moment où la maladie se déclare et celui où l'adolescente est amenée en consultation, des mesures thérapeutiques sont mises en route. Il est essentiel que l'intervenant en prenne connaissance et évite à tout prix de culpabiliser qui que ce soit dès la première rencontre, en particulier les parents, qui sont suffisamment accablés.

Comme nous l'avons vu, l'adolescente qui emprunte la voie de l'anorexie est une fille intelligente et habile. Elle essaie au début de sa maladie de convaincre ses parents qu'elle a tout simplement opté pour une saine hygiène de vie. De plus, elle persuade ses parents qu'ils devraient à leur âge faire attention à leur alimentation. Elle prend peu à peu le contrôle de la cuisine, elle va avec sa mère faire les courses et choisit les aliments qui iront dans le panier. Elle prépare également les repas, ce dont personne ne se plaint. Chacun devra faire plus d'exercice et s'inscrire dans des clubs de remise en forme. C'est elle qui promène le chien, elle peut marcher si vite qu'elle le devance toujours de quelques mètres. Mais à table, elle sera la seule à ne pas manger. Elle paraît si heureuse et si rayonnante que personne ne s'inquiète. On se dit qu'elle mangera une autre fois.

Les jours passent et l'appétit ne revient pas, ce qui finit par tracasser les parents. La jeune fille, elle, ne s'inquiète pas. Au contraire, plus elle maîtrise son appétit, plus elle se sent forte. C'est une joie, une sensation nouvelle et délicieuse.

Une mère m'a raconté que son fils anorexique, âgé de onze ans et hyperactif (comme je l'ai mentionné, les garçons peuvent aussi être touchés par la maladie, même si c'est beaucoup moins fréquent), passait avant sa première hospitalisation toutes ses journées à jouer dehors – ce qui est en soi plutôt sain –, mais sans jamais rien avaler le matin ou à son retour à la maison. « C'était comme s'il avait changé de métabolisme et s'était mis à fonctionner par photosynthèse, comme une plante verte ! » a-t-elle dit avec humour.

Notons que s'il existe dans la famille un intérêt marqué pour l'exercice physique, surtout chez la mère, la tendance hyperactive de la fille peut faire naître un désir de compétition ou un sentiment de rivalité qui ne fera qu'aggraver la situation. La jeune fille aura alors beaucoup de mal à accepter que sa mère soit plus mince et plus active qu'elle.

Pour expliquer son absence à table, la jeune anorexique ne manque pas de motifs souvent excellents : elle doit absolument terminer un travail, elle a déjà mangé en rentrant de l'école, le repas n'est pas à son goût, etc. Petit à petit, elle amène donc toute la famille à admettre qu'elle peut rester dans sa chambre où elle pourra s'adonner librement à la culture physique. Jogging sur place, pompes, les exercices seront pratiqués en solitaire avec rigueur et avec des objectifs précis. Le programme de mise en forme qu'elle s'impose ne lui procure cependant pas beaucoup de plaisir, comme elle l'avouera par la suite.

Les enjeux de la première rencontre

La première rencontre en clinique marque presque toujours la fin du premier acte de la maladie. Comme au théâtre, nous entrons sur la scène à un moment où une bonne partie de la pièce a été jouée sans nous. Nous marchons sur la pointe des pieds pour ne pas brusquer les acteurs, c'est-à-dire les parents et l'adolescente, qui ont déjà chacun leur expérience propre de la maladie.

La plupart du temps, toute la famille est épuisée au moment de la première consultation. Les parents nous le disent de manière très explicite, alors que la patiente demeure muette là-dessus. Pourtant, elle s'est évertuée à convaincre son entourage que tout allait bien – ce qui est vrai de son point de vue – et est sincèrement désolée d'avoir chagriné ses parents.

L'action du premier acte décrite ici de manière presque caricaturale se reproduit à l'identique chaque fois qu'une jeune anorexique se présente à notre clinique, avec bien sûr des différences culturelles suivant la provenance de la patiente. Par exemple, un contexte de séparation des parents et de famille recomposée aura des effets notables sur le comportement de la jeune fille. Il n'est pas rare en effet de recevoir en consultation une famille dont les parents ont refait leur vie et qui se retrouvent tout à coup momentanément réunis par la maladie de leur fille. Ayant partagé entre eux le temps de garde des enfants, ils sont confrontés à tour de rôle à l'anorexie de leur fille qui vient les bousculer. Cela peut d'une certaine manière rendre service à la patiente qui tirera inconsciemment profit de la situation. Elle passera d'une maison à l'autre sans trop d'inquiétude, ce qui la maintiendra dans un confort malheureusement peu souhaitable pour elle. Si les parents se sont remariés ou vivent tous deux avec un nouveau conjoint qui a des enfants, la patiente peut alors faire face à une situation très complexe. C'est le cas de Charlotte qui se faisait vomir régulièrement et qui habitait alternativement chez sa mère et chez son père. Ce dernier avait emménagé dans un nouveau logement avec sa conjointe, qui avait une fille du même âge que Charlotte. Tout allait bien jusqu'au jour où la fille de la conjointe, qui était au courant des troubles de la conduite alimentaire de Charlotte, s'est mise à en parler avec ses amies sur Facebook. Ce fut un désastre pour Charlotte.

Ce cas montre la complexité des situations affectives dans lesquelles les anorexiques peuvent parfois se trouver.

La recherche de la meilleure attitude à adopter au cours de ce premier acte de la maladie a toujours été au cœur de mes préoccupations ; la jeune fille est en effet particulièrement fragile et son état peut très vite se détériorer. Comme pour les toxicomanes aux prises avec une conduite d'autosabotage à l'adolescence, nous avons peu de moyens pour limiter de façon préventive le développement de la maladie. Parfois nous avons l'impression d'avoir gagné une bataille lorsque l'anorexique accepte de limiter sa perte de poids, mais nous constatons assez rapidement qu'elle n'a fait que reculer pour mieux sauter. L'amélioration était juste un leurre. On observe le même comportement chez les toxicomanes : certains peuvent en effet donner l'impression de collaborer et faire croire à leur entourage qu'ils sont sur la voie du sevrage, alors qu'il n'en est rien ; leur comportement sera plus destructeur que jamais.

Il faut donc bien comprendre qu'agir auprès de ces adolescentes aux prises avec une restriction sévère de l'alimentation en espérant mettre une fin immédiate à ce comportement équivaut à vouloir arrêter un avion avec un lasso. Cela implique que notre travail consistera à nous efforcer d'établir un lien avec elles, à accepter les revers et à attendre que la patiente modifie d'elle-même son comportement.

Un atterrissage sécuritaire n'est possible que si l'on comprend les enjeux multiples de la première visite en clinique : nous rencontrons, l'équipe médicale et moi, une adolescente qui nie sa maladie, qui connaît bien le sujet pour avoir lu des textes sur Internet pendant des heures, qui est fière de pouvoir contrôler son poids et qui n'a pas désiré de rendez-vous médical. Nous rencontrons aussi des parents qui, pour la plupart, ont tout essayé pour ramener leur fille à la raison; ils ont la certitude d'avoir échoué et ont perdu l'espoir de pouvoir aider leur fille eux-mêmes. Voilà le dossier qui atterrit sur notre bureau.

À Sainte-Justine, notre longue expérience clinique auprès des anorexiques nous permet de prévoir ces situations cliniques dès les premières rencontres. Pas de protocole préétabli, pas de règle prédéterminée, chaque situation est unique. La personnalisation des approches initiales est le premier ingrédient de la réussite de nos interventions. Pour accueillir et recevoir ces personnes en souffrance qui ont chacune une histoire tourmentée et complexe, il est nécessaire d'être ouvert, empathique, vigilant, courtois, patient, tolérant et précis. Les familles qui se présentent à nous sont en effet dans un état de grande détresse.

Notre plus grand défi sera d'essayer de dissiper le sentiment d'impuissance qu'éprouvent tous les intervenants devant l'anorexie et d'installer à la place un sentiment de puissance agissante qui sera mis au service de l'adolescente. Il faut pour cela prendre en compte le peu d'espace et le peu de marge de manœuvre que l'anorexique laisse à son entourage, y compris à son médecin. Ce dernier devra s'efforcer d'occuper toute la place qui lui revient, en dépit des dénis et des résistances de la patiente.

La première rencontre

La première rencontre en clinique fait suite à l'appel téléphonique reçu par l'infirmière – la mère appelle dans plus de 70 % des cas, et le père dans une proportion de 15 % (les 15 % de cas restants nous sont adressés par l'école, un médecin, une amie, etc.). Lors de ce premier contact, l'infirmière a pris des notes, s'est familiarisée un peu avec l'histoire de la jeune fille. L'infirmière et moi insistons toujours auprès des parents pour que l'adolescente sache ce qui s'est dit au cours de cet échange téléphonique. Il faut en effet que l'adolescente sache avant de nous rencontrer que nous la connaissons déjà un peu, même si, de son côté, elle peut penser que ce que nous savons d'elle est inexact. Dans ce cas, ce sera à elle de compléter le tableau et de nous décrire son expérience selon son point de vue.

La création d'un lien est certes essentielle, mais je ne perds pas de vue que le but principal de ce premier rendez-vous qui dure environ une heure est double : connaître l'état physique global réel de la patiente et fixer avec elle la date d'une deuxième rencontre, qui dépendra de la gravité de sa maladie.

Nous rencontrons toujours l'adolescente en tête à tête dans un premier temps. Nous lui posons des questions pour connaître l'histoire de sa maladie, nous recueillons tout ce qui peut être pertinent sur son présent et son passé, et l'interrogeons sur l'histoire de ses parents et des autres membres de sa famille. Nous lui indiquons dès le début que nous sommes déjà renseignés sur les motifs de la consultation. Cela nous permet ensuite de parler de la raison principale pour laquelle un rendez-vous a été pris pour elle. Le sujet de l'anorexie n'est pas escamoté, il est abordé directement. Ces premiers échanges sont parfois fertiles, parfois infructueux.

Dans un deuxième temps, nous procédons à un examen physique de la patiente. Un examen sommaire centré sur les signes vitaux, qui sont essentiels pour poser un diagnostic juste et prescrire un plan de traitement. Précisons que nous évitons d'examiner la patiente au grand complet et que nous ne lui demandons jamais de se dévêtir à la première visite.

Les signes vitaux qui renseignent sur le degré de gravité de la maladie sont la tension artérielle et le rythme cardiaque. Les résultats obtenus permettent d'évaluer les effets de l'amaigrissement sur le cœur.

On peut aussi évaluer la tension de la patiente en testant la vitesse de remplissage capillaire des extrémités des doigts. Je le fais de manière systématique au premier rendez-vous et aussi au cours du suivi médical. Vérifier la vitesse de remplissage capillaire est un test qui a le mérite d'être simple et facile : j'exerce une brève pression sur l'extrémité d'un doigt ; la zone pâlit et je regarde à quelle vitesse elle retrouve sa couleur. Le temps de remplissage capillaire normal est de moins de deux secondes et, chez les anorexiques, il est supérieur à deux secondes. Ce test me sert à montrer à la patiente les effets de son amaigrissement sur le plan corporel. Elle réalise ainsi que sa circulation sanguine périphérique est compromise.

Autres signes qui évoquent une anorexie : le visage est très amaigri, le teint est pâle, les extrémités sont froides et bleutées, la peau est sèche et froide. Il se peut aussi qu'un duvet apparaisse (un lanugo) chez certaines patientes. Il convient alors d'expliquer ce que cela signifie. Ce duvet se développe en réponse à une baisse de la température corporelle comme pour aider le corps à réagir au froid. Ce lanugo s'atténue à mesure que l'état clinique s'améliore. Le fait de savoir qu'il est temporaire a toujours un effet apaisant et rassurant pour les patientes.

En résumé, la première visite est riche en échanges. Il faut cependant veiller à ne pas fournir à la patiente une somme d'informations qu'elle ne pourrait assimiler tout de suite. Il faut savoir doser nos paroles et nos gestes, à l'instar d'une ordonnance médicale.

L'infirmière et moi, qui nous sommes fondés dans nos interventions sur notre connaissance de la maladie, faisons tous deux une première synthèse des résultats en présence de l'adolescente. Essentiellement, nous confirmons l'existence d'un problème qui se nomme « anorexie » et nous rendons compte à l'adolescente des observations cliniques en lui indiquant le degré de gravité. Tout est expliqué dans un langage qui lui est accessible et nous nous assurons qu'elle a bien compris l'essentiel avant de réaliser une synthèse finale avec ses parents.

Avant que les parents ne prennent part à la rencontre, nous demandons de nouveau à l'adolescente si elle aurait volontairement omis de nous dire quelque chose que les parents pourraient dévoiler inopinément, ce qui pourrait être humiliant pour elle. Je tiens beaucoup à lui donner une deuxième chance, car il est important que la patiente se sente en sécurité et comprenne que notre rôle est de la protéger non seulement contre les autres, mais aussi contre elle-même.

La synthèse finale de la rencontre se déroule en présence des parents. Nous résumons brièvement l'histoire de l'adolescente, nous leur faisons part des résultats de l'examen physique que l'adolescente nous a autorisés à dire et nous ouvrons la discussion. La durée de celle-ci varie suivant l'état clinique de la patiente et surtout sa capacité à tolérer cette discussion. Il nous appartient de fixer la durée de l'entretien, mais c'est l'adolescente par son attitude et sa collaboration qui peut seule en assurer le succès. Parfois, il faut écourter la consultation ou même l'interrompre parce que la patiente est incapable d'en absorber davantage et est prête à partir sur-le-champ. Mais, la plupart du temps, l'exercice de synthèse se fait calmement.

Selon ce qui a été discuté et éventuellement dévoilé par les parents, nous terminons cette première rencontre par un tête-à-tête avec l'adolescente, qui doit pouvoir parler en confidence. Nous lui répétons que nous sommes là pour elle, que nous voulons la soigner, que nous le ferons à son rythme, mais que ce rythme peut être modifié si son état clinique devient précaire. Nous tenons à ce qu'elle soit toujours informée la première et par avance de ce que nous allons proposer comme traitement.

Étant donné les particularités de cette maladie et les circonstances qui entourent le déroulement de la première rencontre, je veille toujours à ce que ma première prescription soit précise et bien appropriée à l'état de la patiente. Cette prescription comprend en général plusieurs points :

- Demander à la jeune fille de réfléchir à la signification personnelle de cette anorexie et en parler à la prochaine visite.

- Lui demander aussi de prendre conscience de la gravité de son état clinique et des risques qu'elle courrait si elle maintenait sa conduite anorexique.
- Confier aux parents le soin de s'occuper de l'alimentation de l'adolescente tout en les prévenant que celle-ci s'y opposera.
- Demander à la patiente d'éviter d'aller dans la cuisine au moment de la préparation des repas, au moins jusqu'à la prochaine visite médicale ; cette partie de la prescription est celle qui la dérange le plus et elle la refusera spontanément.
- Limiter ses activités physiques (l'exigence tient compte de ce que l'examen clinique et le questionnaire ont permis d'apprendre).
- Accepter un suivi avec nous et fixer ensemble une date pour un deuxième rendez-vous en ayant soin de respecter son horaire scolaire, primordial pour elle.

En conclusion, cette première rencontre qui en quelque sorte clôt le premier acte de la maladie appartient d'abord à l'infirmière, au médecin et à l'adolescente. Elle permet de construire un lien qui sera déterminant pour la suite du suivi médical. C'est à cette occasion que j'explique à ma patiente l'évolution naturelle de la maladie pour qu'elle sache à quoi s'attendre dans les mois et les années qui suivront.

Avec le temps, la perte de poids s'arrête, la patiente atteint son poids minimal et l'acte 2 débute.

CHAPITRE 6

Acte 2: une immobilité apparente

À la fin du premier acte, l'adolescente a habituellement atteint un poids au-dessous duquel elle ne descendra plus. La chute pondérale cesse enfin sans que l'on sache vraiment pourquoi. En moyenne, elle a perdu entre le cinquième et le tiers de son poids initial. C'est à ce moment que l'adolescente anorexique est au plus mal. Pourtant, malgré tous les signes qui attestent d'une grande fragilité, l'anorexique ne veut pas mourir. Comme nous le verrons, il ne faut pas se méprendre sur son état de vulnérabilité: au-delà des apparences, l'anorexique veut vivre coûte que coûte. L'acte 2 est aussi le moment où elle est paradoxalement le plus fière: elle a réussi à perdre beaucoup de poids mais elle oublie ou feint d'oublier qu'elle a atteint son objectif au prix d'un épuisement extrême. Sa vie sociale est réduite à néant, elle n'a plus de contacts avec les adolescents de son âge et ne profite plus beaucoup du soutien de ses parents, qui sont à bout de force, en proie à un sentiment d'impuissance. Elle est totalement isolée.

Comme je l'ai mentionné dans le chapitre précédent, le poids de la patiente avant son anorexie et le poids minimal noté à la fin du premier acte sont les deux valeurs principales qui me guideront dans les soins que je prodiguerai. Le poids initial de la jeune fille est selon moi son poids authentique, celui qu'elle devrait retrouver à la fin de sa maladie. La notion d'authenticité est très importante pour moi, elle est le fil conducteur de mon approche clinique qui consiste à toujours rechercher la « vraie » personne qui se réfugie dans la maladie.

Contrairement aux autres adolescentes malades qui ne demandent qu'à être aidées, l'adolescente anorexique ne souhaite rien d'autre que de rester dans son état d'extrême maigreur. Par son attitude, son assurance et son discours, elle cherche à convaincre tous les intervenants qu'il ne sert à rien de vouloir la faire changer. « Je suis bien comme ça », lance-t-elle à la cantonade ; elle ne veut pas guérir et elle le dit haut et fort.

Sa résistance aux soins et à la guérison résume l'acte 2 de la maladie, qui dure des semaines, le plus souvent des mois et même des années. Il s'agit d'une période difficile pour les parents, les intervenants et la patiente elle-même.

Autant son discours se veut rassurant et positif, autant son corps témoigne d'une grande détresse. Sa maigreur est saisissante, la froideur de ses doigts glaciale et les signes vitaux, c'est-à-dire tension artérielle et rythme cardiaque, sont inquiétants. Une intervention médicale s'impose d'urgence bien que l'adolescente la refuse. À ce stade de la maladie, il est de notre devoir de lui faire comprendre qu'elle est devenue dangereuse pour elle-même et qu'elle doit être protégée.

L'acte 2 est donc une période où les soins en milieu hospitalier sont généralement nécessaires. Il débute par une première hospitalisation qui sera suivie de plusieurs autres dans plus du tiers des cas.

La première hospitalisation

Bien que la santé des jeunes filles anorexiques soit déjà très altérée à la fin de l'acte 1, je déconseille très fortement d'hospitaliser la patiente dès la première visite médicale. Mais cela s'impose lorsque l'état clinique de la patiente est trop précaire. Cependant, dans la majorité des cas, il est préférable d'éviter une intervention sauvage et d'attendre un ou deux jours pour l'hospitaliser.

Il est toujours difficile pour une jeune anorexique d'accepter d'être hospitalisée. Je dois alors lui expliquer pourquoi elle ne pourra pas venir à bout de son anorexie sans l'aide hospitalière et je lui accorde toujours le temps de digérer l'information et de décider par elle-même de se faire hospitaliser. En général, ce temps de réflexion est court, l'adolescente demande son hospitalisation au bout de deux ou trois jours. Cela ne signifie pas cependant qu'elle suivra fidèlement notre plan de traitement.

La résistance de la patiente à toutes nos tentatives de soins provoque chez les intervenants des réactions quelquefois excessives dont il y a lieu de se méfier. Tout d'abord, la lecture médicale de l'état clinique de la patiente doit prendre en compte le fait que la maladie existe depuis un certain temps et que les signes de détresse manifestés par l'organisme sont aussi des signes d'adaptation. Il est donc capital de prendre cet équilibre en considération, ce qui nous conduit à agir avec prudence et circonspection.

Je me rappelle une infirmière qui travaillait aux soins intensifs d'un hôpital montréalais et qui me disait en évoquant l'acrocyanose (extrémités froides et bleutées) et les signes vitaux précaires de sa fille hospitalisée que, dans son milieu habituel de travail, un tel état clinique aurait mobilisé une équipe de soignants spécialisés en urgence. Comme certains d'entre nous, elle avait de la peine à admettre que l'on n'intervienne pas immédiatement avec tout un arsenal de médicaments et de solutés. Je le répète, avec les anorexiques en pleine détresse physique, il est essentiel de faire montre de prudence dans nos gestes médicaux. J'en veux pour preuve qu'en trente-six ans de pratique auprès des adolescentes anorexiques en milieu hospitalier, aucune n'est décédée en phase restrictive de la maladie ; j'en suis particulièrement fier et heureux. Pourtant, nombreux ont été les cas difficiles et catastrophiques.

De mon point de vue, la part la plus difficile de mon travail est donc de faire admettre à la patiente que sa conduite anorexique la met en danger du fait de ses répercussions sur le plan physiologique et qu'elle doit nous laisser la soigner comme nous l'entendons. Souvent, elle ne veut rien entendre et parfois, lorsqu'elle collabore sans trop opposer de résistance, elle se montre d'une passivité déconcertante comme si elle se contentait d'être la spectatrice des soins qu'on donne à son corps. Les intervenants ont alors l'impression d'être des imposteurs. Dans tous les cas, pour obtenir sa collaboration, il importe de bien lui expliquer la nature des prescriptions ainsi que leur durée. Précisons que l'adolescente anorexique, comme je l'ai déjà dit, ne veut pas mourir ; elle a certes freiné son développement par son anorexie, mais elle veut vivre.

L'accompagnement et non l'affrontement

Qu'on le veuille ou non, l'acte 2 de la maladie est marqué par une perpétuelle confrontation entre l'anorexique qui ne veut rien entendre et les intervenants qui ont pour seule arme l'argument « c'est pour ton bien ».

Malgré les progrès scientifiques, force est d'admettre que, en définitive, on n'a rien trouvé de mieux au cours du siècle dernier, pour traverser cette période difficile, que le recours à une méthode de type béhavioriste pure (méthode de la carotte et du bâton) ou à la méthode cognitivo-comportementale (méthode axée sur la réflexion et la modification du comportement), jointes parfois à un brin de coercition conduisant tout droit à l'affrontement. Pourtant, l'expérience accumulée dans l'accueil et le traitement de milliers d'adolescentes anorexiques me permet d'affirmer que l'affrontement est tout à fait stérile.

À cause de sa fragilité physique et psychique, la patiente doit être traitée au moyen d'une approche tout en retenue et en finesse. Mon collègue et ami le professeur Victor Courtecuisse, père de la médecine de l'adolescence en France, m'a dit un jour que nous discutions des soins à donner aux adolescentes anorexiques : « Tu sais, Jean, on n'entre pas dans un jardin privé avec un bulldozer. » Cette réflexion m'a beaucoup marqué. À cette étape de la maladie, il faut entrer dans le jardin des anorexiques d'un pas mesuré, car les actions brutales peuvent avoir des effets dangereux.

En interprétant mal certaines données cliniques, nous pouvons en effet effectuer des gestes médicaux qui, au lieu d'améliorer l'état physique de la patiente, vont plutôt l'aggraver. Par exemple, devant des signes vitaux trop faibles – une tension artérielle basse, un rythme cardiaque inférieur à 50 par minute (bradycardie), un allongement du temps de remplissage capillaire et une cyanose des extrémités –, nous pourrions conclure qu'il faut mettre la patiente sous perfusion avec un soluté à haut débit en oubliant que son corps est en mode d'adaptation par suite d'une restriction alimentaire de longue durée. La perfusion risque de provoquer une insuffisance cardiaque et un œdème aigu des poumons. La littérature médicale rapporte même un certain nombre de décès. D'autre part, un retour trop rapide à l'alimentation peut conduire à un syndrome de renutrition (complications physiologiques liées à une relance métabolique) susceptible d'entraîner la mort.

C'est surtout dans les années 1980, époque où le nombre de patientes a subitement augmenté et où les urgences des hôpitaux ont commencé à accueillir des anorexiques en situation clinique catastrophique, que de telles erreurs ont été commises, avec les conséquences tragiques que je viens de mentionner. Nous devons reconnaître au psychologue David Garner le mérite de nous avoir alertés à ce sujet. Je me souviens en particulier d'une conférence qu'il avait donnée en 1984 à un congrès à New York sur les effets négatifs de nos interventions (effets iatrogènes). J'étais rentré à Montréal acquis à l'idée qu'il faut être très vigilant en présence de situations cliniques difficiles, même si on peut être enclin à agir vite sans même connaître à fond l'histoire de la patiente. Je tiens donc à ce que mes patientes soient toujours bien conscientes qu'elles sont malades, et qu'en raison de leur anorexie leurs besoins ne sont pas du tout les mêmes que ceux d'une personne normale. Il est très important qu'elles en informent les personnes concernées lorsqu'elles consultent dans un autre établissement.

Ne pas vouloir à tout prix une reprise pondérale

Une autre difficulté que nous rencontrons à l'acte 2 est d'accepter que la patiente ne partage pas notre désir qu'elle reprenne du poids. Sur ce plan, il faut se montrer humble et peu exigeant.

Avant de reprendre du poids par augmentation de ses apports caloriques, l'anorexique doit d'abord apprendre à diversifier ses choix alimentaires, ce qui lui est particulièrement difficile. Ceux-ci sont en effet des plus réduits, ils se limitent à quelques aliments hypocaloriques. Le retour à une diversification de l'alimentation exige des efforts gigantesques.

Il faut prévoir que, lorsqu'elle décidera de diversifier ses choix d'aliments, elle aura tendance à réduire la quantité ingérée de façon à ne pas dépasser son poids actuel, qui est le résultat d'un effort continu et lui apporte un énorme contentement. Comme elle diversifie ses aliments, mais se protège en réduisant les quantités – une discipline qu'elle s'impose –, son poids baisse en général légèrement. Sans doute régresse-t-elle sur le plan pondéral, mais, sur le plan cognitif, elle fait des progrès.

Si l'on insiste trop sur la reprise pondérale, il faut s'attendre à certaines réactions : l'anorexique accroît son activité physique, elle allonge considérablement la durée de ses repas, elle jette aux ordures les repas apportés à l'école, elle dissimule la nourriture – on en retrouve dans les serviettes de table, sous la table ou collée sous la chaise – ou encore elle s'efforce de la régurgiter. Je me souviens de Suzanne, une ancienne patiente, devenue psychologue depuis, qui prenait un temps fou à manger. Elle coupait les aliments en infimes morceaux, cherchant, me disait-elle, à les ramener à l'état moléculaire, avant de les ingérer par petites bouchées. Elle tenait tout de même à me rassurer en précisant qu'elle savait contrôler la quantité des acides aminés essentiels indispensables à sa santé.

Voici un autre témoignage éloquent : le papa de Geneviève, onze ans, insistait beaucoup pour que sa fille reprenne du poids à l'hôpital. Un jour, au cours d'une sortie en famille qui avait lieu le week-end, Geneviève lui a demandé de ne pas augmenter ses quantités de nourriture et lui a promis qu'en contrepartie elle s'efforcerait d'en cacher le moins possible. « Je n'aime pas quand je prends du poids », m'avait-elle confié en consultation. Son refus de consommer de la nourriture ne pouvait être plus explicite. Face à une attitude aussi résolue, nous étions, la famille et moi, obligés de nous contenter de ce qu'elle voulait bien nous accorder. L'effort que Geneviève était prête à consentir pour ne plus jeter sa nourriture en cachette était pour elle énorme. Cela représentait aussi pour moi un grand progrès, bien que cela puisse paraître, en soi, une chose assez anodine.

Au début des années 1980, nos patientes anorexiques partageaient leur chambre avec d'autres adolescentes porteuses de maladie chronique. Elles avaient une préférence pour les adolescents atteints d'une fibrose kystique du pancréas (mucoviscidose), qui avaient besoin d'un apport quotidien important de calories pour combattre leur maladie. Elles aimaient leur compagnie, car elles partageaient volontiers le contenu de leur plateau avec eux. J'aimais beaucoup cette cohabitation entre un adolescent qui doit manger pour survivre et une anorexique qui croit ne pas devoir manger pour vivre. Le temps des repas était toujours animé ; ils conversaient entre eux, et les échanges entre les différents groupes de patients étaient toujours fertiles. Malheureusement, à la suite de décisions administratives auxquelles je me suis vainement opposé, les patients atteints de fibrose kystique ou de graves maladies digestives ont été transférés dans d'autres unités de soins spécialisés au début des années 1990. C'était regrettable pour nos patientes.

Une intervention médicale réduite au minimum

En raison de l'inquiétude que provoque l'état clinique de l'anorexique, ses parents feront souvent appel aux services de certaines catégories de professionnels. La jeune fille essaie alors de trafiquer les conseils qui lui sont donnés et peut faire preuve dans sa manière d'agir de beaucoup de finesse et d'habileté. Par exemple, quand on la conduit chez la nutritionniste, ce qui est une bonne idée en soi, la patiente ne gardera de ce qui lui a été dit que ce qui lui plaît : elle se servira des informations obtenues sur l'alimentation et les aliments pour mieux contrôler ses apports alimentaires.

Au psychologue, elle dira qu'elle n'aime pas lui faire perdre son temps, que d'autres personnes réclament ses services ou encore elle restera carrément muette pendant toute la rencontre. Après un ou deux rendez-vous, elle mettra un terme au suivi en alléguant qu'il ne sert à rien.

L'anorexique considère toujours d'un œil très critique les intervenants. Ainsi avant de prescrire une consultation auprès d'autres professionnels, il faut bien réfléchir et prévoir la façon dont la patiente va s'y prendre pour trafiquer ou annuler la prescription. Les anorexiques continuent de me surprendre après trente-six ans de pratique, tant elles sont imaginatives et convaincantes. La vigilance est donc de mise en tout temps. Pour obtenir leur consentement avant de les envoyer à quelqu'un d'autre, il faut donc bien leur expliquer le sens de nos décisions.

Sur le plan clinique, leur évolution est lente. Là où nous voyons un progrès, elles voient un recul, voire un échec. Ces jeunes filles ont ceci de particulier qu'elles nous obligent à nous remettre sans cesse en question même dans notre vocabulaire. Ainsi, si on dit à l'une d'elles qu'elle a l'air d'aller mieux, elle se figure, dans sa tête, être devenue grosse et avoir perdu le contrôle de son anorexie. Les anorexiques ont tendance à inverser le sens de nos paroles. Communiquer avec elles est en somme toujours compliqué. Elles parviennent souvent à nous faire dire ce que nous n'avons pas voulu dire, ce qui nous déroute à tous les coups.

L'acte 2, déjà long et pénible en soi, sera encore plus difficile si l'on multiplie les rencontres avec des intervenants que l'anorexique finit par juger trop insistants. Sa résistance sera proportionnelle aux efforts que l'on attend d'elle. Plus on insiste, plus elle résiste. Il faut donc absolument éviter de provoquer un enchaînement d'actions et de paroles qui pourrait avoir pour effet d'éloigner l'anorexique de l'équipe médicale, ce qui serait à coup sûr très néfaste. La meilleure attitude consiste donc à prévenir les affrontements, même lorsque cela paraît impossible, et à se contenter – et c'est déjà beaucoup – du rôle d'accompagnateur avisé. Comme j'aime à le répéter, il ne s'agit pas pour nous de l'emporter dans un duel ; la guérison est un cheminement thérapeutique, non un affrontement.

Une évolution en dents de scie

En dépit des difficultés inhérentes à cette période de la maladie, des gains et des reculs pondéraux ainsi que des changements significatifs se font attendre. Il faut être capable d'apercevoir les améliorations, même minimes, qui s'opèrent. Je les vois comme des miettes de nourriture, car c'est en accumulant les miettes que la patiente s'améliore ; et il faut beaucoup de miettes pour faire une mie. Une ancienne patiente qui a été suivie pendant quelques années m'a dit que « j'avais tout faux » et que c'était plutôt « par nanomiettes » qu'elle s'améliorait. Elle étudiait en sciences et était de la génération des nanotechnologies.

Avancées et reculs caractérisent donc cette période, et leur alternance finit par donner à cette dernière un caractère dynamique, plutôt qu'un caractère de stagnation. Il faut savoir repérer les changements microscopiques, les accueillir en silence et en toute sérénité, ne pas trop s'en féliciter bien que ce soit tentant et les mesurer même si aucune échelle de mesure n'existe. Lorsqu'une anorexique nous dit que la maladie n'occupe plus que 75 % de son espace psychique (au lieu de 98 % dans le passé), c'est beaucoup plus que cela peut paraître.

Au cours du deuxième acte, les patientes peuvent s'améliorer, mais elles peuvent aussi donner l'impression de régresser. Si en effet c'est le cas, c'est habituellement dû au fait qu'elles veulent mieux se protéger, l'anorexie étant la seule arme dont elles disposent pour se défendre. Chaque hospitalisation apporte un minuscule changement, parfois à peine décelable. Les hospitalisations peuvent être nombreuses, mais cependant elles diffèrent grandement d'une fois à l'autre, et il est essentiel de ne pas désespérer.

Il faut cependant éviter la surenchère dans nos interventions. J'ai appris avec ces patientes que l'on nuit parfois en voulant aider. Il convient, dans des situations de multiples hospitalisations, d'envisager un transfert de la patiente vers un autre établissement de soins si le personnel soignant éprouve un malaise ou un blocage vis-à-vis d'une patiente. Cela permet d'éviter l'acharnement thérapeutique.

À l'époque où il existait un lien plus continu entre notre service et celui de la psychiatrie de l'adolescence à Sainte-Justine, il était possible de transférer facilement des patientes d'un service à l'autre, et cela était toujours très bénéfique pour elles. Mais pour des raisons que j'ignore, la mobilité que nous avions acquise s'est perdue au cours des quinze dernières années.

Il faut reconnaître que les anorexiques ont le don de faire surgir des conflits entre les intervenants de santé. Elles nous poussent à bout et parviennent aisément à semer la zizanie à l'intérieur d'une équipe de soignants, surtout à cette étape de la maladie. Je ne crois pas cependant qu'elles veuillent pousser délibérément chacun dans ses retranchements, mais elles peuvent avoir tendance à utiliser une situation conflictuelle pour gagner du temps et retarder la guérison. Professionnellement et éthiquement parlant, il faut à tout prix éviter que les états de tension ne nuisent aux patientes. Il importe de toujours préserver la qualité des soins.

Des échanges parfois déroutants

Durant cette phase de la maladie, où tout paraît lent et intense, les visites médicales sont souvent vides de contenu. Les échanges se résument à très peu de chose et bon nombre de sujets sont traités parfois de façon bien superficielle. Mais cependant l'anorexique est toujours fidèle à ses rendez-vous. Il faut savoir en profiter.

On doit accepter de ne parler que de la pluie et du beau temps pendant les 20 à 30 minutes que dure la séance en se rappelant qu'au moment de la rencontre prévue avec eux, les parents diront que cela ne va pas du tout. Il est par ailleurs plus que probable que l'anorexique aura cessé de consulter le psychologue ou la nutritionniste. D'où l'importance de bien choisir le moment où l'on fera entrer ces professionnels dans l'équipe active de soins. Je reviendrai sur ce sujet plus loin.

L'infirmière et le médecin demeurent le plus souvent les seuls intervenants qu'elle accepte de rencontrer. Ce sont également les seules personnes avec qui elle a gardé des liens. Dans le suivi alternent les moments stimulants et fertiles en confidences et les moments creux et insignifiants.

Nous avons appris à accepter ces passages à vide, et l'humour est pour moi un outil précieux dans ces moments ingrats. Un humour simple, jamais dirigé contre elle, jamais blessant ; un humour qui invite à la réplique et, à ce chapitre, je trouve les jeunes anorexiques particulièrement douées. J'aime beaucoup d'ailleurs tester leur rapidité et j'apprécie leurs réparties humoristiques. Elles adorent ce jeu dans lequel il entre une belle complicité.

Parler de la pluie et du beau temps, c'est parler de tout et de rien, d'une émission de télé que nous avons regardée la veille, de sports, d'une visite culturelle ou de l'actualité… Notons qu'il y a très peu de place pour la politique avec elles, sauf si leurs sacs à dos – aussi lourds qu'elles… – portent une fleur de lys. Même si nos échanges sont limités, le lien affectif est là, et c'est l'essentiel.

En tant que médecins ou infirmières, nous tenons donc à bout de bras ces jeunes filles d'une grande fragilité et dont l'évolution clinique est très lente. Ces anorexiques sont comme un terrain miné, on ne sait jamais quand cela va exploser. Les soigner, c'est risquer d'assister à des explosions et, lorsque cela arrive, il faut savoir rester en selle. Car exploser, c'est aussi s'affirmer, ce qu'elles n'arrivaient pas à faire autrement que par leur conduite anorexique. Lorsque survient l'explosion, il s'agit pour nous d'une victoire. Enfin, l'anorexique s'affirme autrement que dans sa maladie.

Au fil du temps, la conduite anorexique prend de moins en moins de place dans la vie quotidienne des adolescentes. Ces dernières augmentent leurs apports alimentaires, allant même jusqu'à relâcher leur contrôle. C'est le début de l'acte 3.

CHAPITRE 7

Acte 3 : la reprise de poids

Le début de l'acte 3 correspond au moment où la patiente commence à regagner du poids malgré elle. Sans que nous puissions l'expliquer – cela reste un mystère pour les malades et pour les soignants –, la perte de contrôle de l'anorexique sur son corps et son alimentation survient tout à coup sans même qu'elle ait eu le temps de s'y préparer. Elle ne parvient plus à maîtriser sa conduite restrictive. Sa vie entière alors bascule ; c'est une évolution brutale, une rupture. Le contrôle qui lui était nécessaire et dans lequel elle avait tant investi cède. Son identité anorexique disparaît, et elle ne sait pas où cela la mène.

Une fois la surprise passée, la patiente peut ressentir des sentiments de gêne et parfois même de honte. Du côté de sa famille, c'est l'inverse : les parents – la mère en particulier –, qui ont remarqué que leur fille mange davantage depuis quelque temps, retrouvent une certaine joie de vivre et éprouvent un soulagement d'autant plus grand qu'ils ne croyaient plus vraiment à son rétablissement. Pour eux, c'est un virage inattendu.

Mais à présent, ce n'est plus l'entourage qui souffre comme dans les premier et deuxième actes de la maladie, mais la patiente. Il est normal de se réjouir de cette évolution, mais, pour l'anorexique, cette étape est vécue comme un échec cuisant. On peut le comprendre, ce sur quoi elle a construit sa vie lui échappe tout à coup. Sa souffrance est proportionnelle à la détermination dont elle a fait preuve pour contrôler sa chute pondérale. En même temps, son échec correspond au succès de son entourage familial et médical, et c'est un drame pour elle.

Bien que ce soit difficile à accepter, je pense que cette reprise de poids ne peut être contrôlée. La seule chose à faire est de se contenter de l'observer en sachant qu'un jour le poids va cesser d'augmenter jusqu'à devenir stationnaire. D'où l'importance de se référer au poids initial de la patiente, car c'est ce poids-là qu'elle retrouvera à la fin de l'acte 3. L'aider à vivre au mieux ce troisième acte est probablement tout ce que nous pouvons faire.

Une détresse intérieure indicible

Il me paraît essentiel d'accueillir la patiente dans sa détresse et donc de rapprocher les rendez-vous médicaux. Cela ne fait pas toujours l'affaire des parents. Parfois, croyant leur fille enfin guérie, ils souhaiteraient au contraire que les rencontres s'espacent. Il faut dire qu'ils ont en général pris toutes leurs journées de maladie et qu'ils ont hâte de revenir à une vie normale. C'est terrible pour eux de prendre conscience que leur fille souffre, cette maladie leur semble plus mystérieuse que jamais.

Lorsque j'explique aux parents le désarroi de leur fille, celle-ci m'écoute avec attention et soulagement, buvant presque chacune de mes paroles. Elle aime me voir révéler sa vérité et, bien qu'il soit décevant pour elle de savoir que nous ne pourrons pas freiner sa reprise pondérale comme elle le souhaiterait, elle acceptera volontiers des rendez-vous rapprochés. Le rythme plus soutenu sert à la rassurer sur la rapidité et l'intensité de sa reprise de poids et nous permet d'évaluer sa souffrance. Elle ressent en effet une grande douleur intérieure qu'elle ne peut partager avec son entourage, trop content de voir son corps reprendre vie. C'est alors en silence qu'elle traversera cette période difficile.

D'une manière générale, nous observons trois types de réactions chez les patientes durant ce troisième acte :

- l'acceptation de la reprise pondérale : l'anorexique finit par accepter son poids et ses nouvelles formes ;
- la résistance et la lutte inutile contre la reprise pondérale ;
- la résistance et le recours aux vomissements ou aux laxatifs pour la maîtriser à tout prix, mais en vain.

Celles qui acceptent de reprendre du poids et qui se résignent à leur sort sont souvent un peu lasses de leur maladie. La reprise pondérale les prend au dépourvu et les désole, mais elles acceptent plutôt bien leur évolution du fait du soutien de leur entourage et des intervenants qui sont restés auprès d'elles. Il faut se rappeler qu'au cours des étapes précédentes l'accompagnement médical a été laborieux et qu'elles peuvent avoir cessé leurs rencontres avec le psychologue.

Je crois personnellement que ce moment de la maladie est opportun pour reprendre un suivi psychologique ou pour en entreprendre un. L'anorexique paraît en effet plus ouverte à ce type de soins et nous savons, nous les médecins et les infirmières, que la douleur associée à l'acte 3 nécessite un accompagnement qui ne relève pas de nos compétences. Mais encore faut-il que la patiente accepte d'être accompagnée.

Il demeure toutefois important de maintenir des rendez-vous médicaux rapprochés et de nous assurer que sa souffrance n'empire pas. Car l'adolescente peut au cours du troisième acte avoir des idées suicidaires. Il faut alors oser la questionner là-dessus et revenir fréquemment sur le sujet au cours des rencontres, lesquelles se sont d'ailleurs allongées à sa demande, comme si elle se sentait protégée en notre présence.

Le retour à la vie

À cette étape de la maladie, le poids continue à augmenter le plus souvent de façon chaotique ; la patiente est toujours affamée, elle mange sans cesse et ne ressent plus la sensation de satiété. Elle en arrive donc à ne plus savoir quand elle a vraiment faim et quand elle devrait commencer et finir un repas. Elle s'appuiera sur le comportement des personnes qui l'entourent, elle mangera la même nourriture que celles-ci, en grande quantité et à toute heure du jour, même parfois la nuit.

Je me rappelle Sophie, une patiente anorexique dont, au tout début de ma pratique, j'avais accepté le transfert d'un autre centre hospitalier parce que l'équipe ne savait plus comment agir avec elle. Les intervenants avaient épuisé toutes leurs ressources et se sentaient impuissants. Par bonheur, aussitôt arrivée chez nous, Sophie a accepté de se nourrir et a repris du poids. Le transfert avait eu un effet presque miraculeux sur elle, et les parents n'en revenaient pas. Satisfait de son évolution, je lui ai donné son congé de l'hôpital et je l'ai suivie en clinique externe. Au cours d'une consultation, son père m'a confié qu'il entendait du bruit la nuit dans la cuisine. Un soir, en cachette, il a vu sa fille se faire livrer une pizza, la manger et tout faire disparaître soigneusement après. Il était tellement content qu'il a versé une somme rondelette à la Fondation de notre hôpital pour mes recherches !

Bien qu'elles reprennent du poids, les patientes lasses de leur maladie sont contentes de renouer des liens avec le monde extérieur ; elles retrouvent le goût des relations sociales ; elles prennent conscience qu'elles sont passées à côté de leur adolescence, et cela les surprend comme si elles se réveillaient d'un mauvais rêve. C'est ce que m'a exprimé une patiente, qui, à la fin de sa période de reprise pondérale, m'a adressé une carte postale sur laquelle elle avait écrit : « Merci non pas de m'avoir sauvé la vie mais de m'avoir remise dans la vie. » Remettre chaque patiente dans sa vie est en effet notre tâche comme accompagnateurs soignants. Pour ma part, j'irai encore plus loin en disant que mon ultime objectif est de permettre à chacune de mener à nouveau une vie normale.

Une lutte sans merci contre la reprise de poids

Malheureusement, toutes les patientes n'acceptent pas facilement leur reprise pondérale. Certaines essaient de la ralentir ; elles luttent de toutes leurs forces contre leur envie effrénée de manger. Mais, à chaque visite médicale, leur poids augmente. Bien qu'elles refusent de l'accepter, leur corps change, ce qui les plonge dans une tristesse et un désarroi profonds. Une tristesse envahissante et proportionnelle au poids qui augmente. Je me rappelle une jeune adolescente qui est restée une année entière sans aller à l'école parce qu'elle refusait d'acheter des vêtements ajustés à sa nouvelle taille. Elle ne souhaitait qu'une chose : perdre du poids pour porter ses anciens jeans devenus trop petits.

C'est à ce moment que les jeunes filles peuvent avoir des idées morbides. Les gestes suicidaires sont donc à surveiller de près, tout comme les automutilations superficielles. Les gestes d'automutilation servent avant tout à changer le mal de place, c'est-à-dire à déplacer leur douleur psychique diffuse vers une partie de leur corps ; une manière de prendre le contrôle sur leur souffrance envahissante.

On a beau les rassurer sur le fait que tout va rentrer dans l'ordre, qu'elles vont retrouver un appétit normal, que les fringales alimentaires encore fréquentes et violentes vont disparaître au fur et à mesure qu'elles se rapprocheront de leur poids initial, elles ne peuvent pas nous croire. Elles tiennent à tout prix à perdre du poids. Mais il leur est très difficile de maigrir, car, quand leur anorexie leur échappe, elles redeviennent semblables à tout le monde, elles ont un mal fou à perdre du poids et à suivre assidûment un régime alimentaire.

Parfois la reprise pondérale s'accompagne d'un certain relâchement dans l'habillement et les soins corporels, comme si elles n'aimaient pas leur nouveau corps ou ne l'habitaient pas encore complètement. Prendre soin d'elles-mêmes sera alors tout un apprentissage ; s'accepter avec de nouvelles formes suppose une modification de la perception du corps et de l'image de soi, ce qui est loin d'être simple.

Le recours aux vomissements

Enfin, le troisième type de patientes de l'acte 3 correspond à celles qui contrôlent leur reprise pondérale en recourant aux vomissements et parfois – c'est moins fréquent à Sainte-Justine – aux laxatifs. Ici, les choses se compliquent. Les vomissements, jusqu'à huit fois ou plus par jour, deviennent chose courante. Cette habitude est encore plus infernale pour celles qui ont eu recours aux vomissements dès le début de leur anorexie.

Alors qu'il est naturellement difficile et douloureux de vomir, les anorexiques ont une facilité déconcertante pour provoquer des vomissements. Les jeunes filles sont toujours étonnées lorsque je leur demande s'il leur est facile de se faire vomir. L'indication m'est utile, car elle me renseigne sur l'évolution de la maladie. En effet, plus les anorexiques se rapprochent de la guérison, plus il leur est difficile d'induire des vomissements, de sorte qu'elles finissent par en être incapables. On peut alors penser que le recours aux vomissements est terminé. Mais, au début, elles parviennent – nous ne savons toujours pas comment – à induire un mouvement antipéristaltique (un mouvement de régurgitation) avec une aisance déroutante.

Tant que cela leur sera possible, les anorexiques auront recours aux vomissements pour compenser leur reprise de poids et les épisodes de fringale. Le plus souvent, elles se font vomir à la maison ; mais elles peuvent aussi le faire à l'école ou ailleurs, surtout lorsque cela n'est plus possible chez elles. Ce sont les mères qui découvrent en général que leur fille s'adonne à cette pratique. Elles trouvent des traces de vomissements dans sa chambre ou sur le rebord de la cuvette de la toilette. L'adolescente prise en flagrant délit va nier l'évidence. Comme si ce n'était pas elle qui vomissait, mais l'autre, l'anorexique qui est en elle. Cette situation est déconcertante. Les parents qui avaient déjà éprouvé un sentiment d'impuissance dans les premier et deuxième actes de la maladie se sentent alors totalement dépassés.

En trente-six ans de pratique médicale, j'ai vu à peu près tout ce que l'on peut imaginer comme dégâts dus aux vomissements. Des toilettes bouchées, des douches rendues inutilisables, plusieurs pièces de la maison souillées, des vomissements qui s'accumulent dans le placard de la chambre à coucher ou qui, sous l'effet du stress, surgissent sans crier gare dans la voiture ou à l'école, souillant les ouvrages scolaires… Je me rappelle une jeune fille qui empruntait la voiture de sa mère et y vomissait régulièrement sans la nettoyer à son retour à la maison. La mère retrouvait sa voiture le lendemain matin dans l'état…

Le principal problème avec les vomissements est qu'ils deviennent, avec le temps, une nécessité d'autant plus impérieuse qu'ils sont indolores. Or il est difficile de dissimuler des vomissements. Si les jeunes filles parviennent au début à cacher leur geste, il arrive fatalement un moment où l'entourage le découvre. Comme les vomissements font déjà partie intégrante de sa vie quotidienne, la jeune fille n'en éprouve en général ni gêne ni honte, comme en témoigne l'histoire suivante : une famille québécoise s'était portée volontaire pour accueillir une jeune fille d'origine étrangère qui venait étudier à Montréal pendant quelque temps. Au cours de leur premier souper, avec une aisance déconcertante l'adolescente s'est mise tout à coup à vomir dans les verres. Personne ne savait que la jeune fille était malade.

Des fringales compulsives

Les vomissements suivent en général les fringales, les « *binge* » comme on les appelle dans le milieu médical. Les jeunes filles peuvent vider le frigo et le garde-manger en deux temps trois mouvements, au grand dam des autres enfants de la maison qui se plaignent de ne plus rien avoir à manger à la maison. Le trouble alimentaire engendre alors un problème économique, car le budget dévolu à l'alimentation explose.

La situation devient insupportable lorsque, par négligence ou tout simplement parce qu'elles nous trouvent inutiles et incompétents, les patientes cessent de venir régulièrement à leurs rendez-vous. Elles nous accordent de moins en moins de temps. De plus, lorsque je rencontre leurs parents en leur présence, les propos sont souvent explosifs, les disputes deviennent incessantes et le langage utilisé peut être violent, voire ordurier. Nous devons malgré tout continuer à chercher un moyen d'aider ces jeunes patientes en pleine crise, en tenant compte du profond désarroi des parents et de leurs difficultés. Dans ce genre de situation, tout le monde souffre. Les mensonges sont fréquents, mais il faut savoir que les jeunes filles y ont recours pour protéger leur intimité.

Un suivi médical rigoureux

En se faisant vomir, l'anorexique se met en danger, elle provoque un déséquilibre de ses électrolytes sanguins (potassium, sodium, chlore et bicarbonates), le plus grave étant l'hypokaliémie (baisse du potassium sérique) qui peut entraîner une mort subite par suite d'un trouble du rythme cardiaque. Il faut informer la patiente de ce phénomène et lui faire comprendre que nous devons exercer une surveillance appropriée de ses électrolytes et que, pour ce faire, nous avons besoin de son entière collaboration. Elle est la mieux placée, assurément, pour nous dire si la fréquence de ses vomissements a augmenté ou a diminué, ce qui permet d'avoir une idée des troubles potentiels. Selon ses réponses, je décide ou non de procéder à une analyse sanguine. Je suis toujours impressionné par la volonté de collaborer des jeunes anorexiques une fois qu'elles ont compris les motifs de mon inquiétude. C'est là un autre signe de leur désir de vivre.

En ce qui concerne l'évaluation du potassium, il importe de connaître les résultats de l'analyse dans les meilleurs délais. Je conseille de faire des arrangements avec les laboratoires de l'hôpital, de façon que les résultats soient transmis sur-le-champ. Je ne tolère pas que le taux de potassium sérique soit inférieur à 3 mmol/L. Si c'est le cas, les patientes sont hospitalisées sans attendre et nous corrigeons leur hypokaliémie en milieu hospitalier.

Au cours de ce troisième acte de la maladie, il convient de faire appel à d'autres intervenants tels que le psychologue ou le psychiatre. Il est parfois difficile pour ces derniers d'intervenir en pleine crise, et les patientes, pour leur part, peuvent être réticentes à se confier à de nouvelles personnes. Nous devons alors superviser les premiers contacts et bien expliquer pourquoi nous recommandons leur intervention dans le plan de soins. Les patientes refusent souvent ma proposition et elles peuvent continuer de le faire par la suite. Il faut cependant revenir sur le sujet à chaque visite médicale et s'assurer que les consultants seront rapidement accessibles pour le cas où les patientes accepteraient de les voir. Il serait en effet décourageant pour elles d'attendre avant d'entamer une rencontre qu'elles ont longtemps refusée.

À cette étape de la maladie, une aide sur le plan psychologique s'impose en effet. La patiente traverse une période tumultueuse, jalonnée de surprises et de difficultés, et, bien qu'elle reste nécessaire, la surveillance médicale passe au second plan. L'adolescente en est consciente et souhaite le plus souvent être aidée, mais sa résistance est très forte. Il faut donc veiller à établir un suivi psychologique adapté aux besoins de la jeune fille.

Lorsque le recours aux vomissements devient pénible, c'est une autre catastrophe que la patiente va devoir surmonter. Avec le temps, les vomissements sont moins efficaces et le poids augmente. La perte de la capacité à se faire vomir à volonté est très mal vécue. Comment se fait-il que tout cela lui échappe ? La question revient systématiquement dans les rencontres, mais je suis incapable d'y répondre.

Ce troisième acte de la maladie peut durer des semaines, des mois voire exceptionnellement des années, surtout lorsque les vomissements sont apparus au début de la maladie.. C'est une phase destructrice au cours de laquelle tout peut arriver. Il n'est pas rare que les études soient interrompues pour un temps, que les amitiés se brisent, que les amours cessent, que les frères et sœurs décrochent et que les parents soient plus que jamais anéantis. Tout s'effondre autour de la jeune fille et elle-même ne se comprend plus. C'est l'époque de la maladie où l'avenir de la patiente paraît le plus fermé, le plus sombre.

La fin du troisième acte

Cependant, la plupart de celles qui sont devenues malades à l'âge de la puberté retrouvent à la fin du troisième acte leur corps d'avant la maladie, c'est-à-dire leur morphologie et leur poids initiaux, avec une certaine sérénité. Certaines ont encore de la difficulté à accepter une reprise pondérale, mais elles s'y feront à la longue, tandis que d'autres – c'est heureusement la minorité – continueront à se faire vomir après des fringales tout de même moins violentes et moins fréquentes et finiront par retrouver leur poids préanorexie. Pour ces dernières, manger sans faim et vomir sont devenus une habitude de vie et font désormais partie de leur quotidien. Le retour à une vie sociale normale est pour elles compromis. L'errance les guette, elles sont malheureusement livrées à elles-mêmes.

Cet épisode laissera des traces dans les relations familiales de celles qui auront eu recours aux vomissements. On ne sort pas de cette phase de la maladie du jour au lendemain. Comme pour une toxicomanie, il faut espérer qu'il n'y ait pas de rechutes.

En résumé, le troisième acte, bien que souhaité et attendu par tous, est dramatique pour les patientes et difficile à gérer sur le plan médical. Alors qu'au cours des premier et deuxième actes, l'infirmière et moi jouions un rôle central dans le suivi médical, il nous faut à l'acte 3 passer le témoin à des intervenants tels qu'un psychologue ou un psychiatre dont les compétences correspondent aux nouveaux besoins de la patiente. En tant que pédiatre, je ne souhaite plus être au centre du suivi thérapeutique.

La grande majorité des anorexiques chez qui la maladie a débuté entre onze et quinze ans sont sur le point de fêter leurs dix-huit ans à la fin du troisième acte. Le transfert médical en milieu adulte, lorsqu'il est nécessaire, devient une nouvelle réalité pour bon nombre d'entre elles. Ainsi débute le quatrième acte.

CHAPITRE 8

Acte 4: l'après-anorexie

L'acte 4 marque pour la majorité des patientes la fin de l'anorexie, le retour à leur poids initial ainsi qu'à une vie sociale normale. Mais, à vrai dire, est-ce que l'anorexie finit réellement par disparaître? La question m'est souvent posée en clinique comme si on pensait qu'une maladie aussi complexe ne puisse jamais disparaître complètement. J'éprouve toujours une certaine gêne à répondre à cette question parce qu'elle appelle une réponse nuancée.

Si je me réfère à la multitude de cas d'adolescentes que j'ai traités depuis le début de ma carrière, je crois sincèrement que les jeunes filles s'en sortent. Cependant, si l'on posait la question aux soignants ayant affaire à des adultes, ils ne donneraient sans doute pas la même réponse parce qu'ils s'occupent d'adultes anorexiques atteints de la maladie depuis longtemps, ce qui constitue des cas complexes. L'anorexie a pu prendre un caractère chronique ou bien elle est peut-être associée à un autre trouble psychiatrique, si bien que le taux de guérison est plus faible qu'en pédiatrie. J'ajoute cependant qu'il est possible que l'adolescente anorexique, bien que guérie, garde une certaine fragilité, à l'instar de la majorité des êtres humains. Son anorexie aura été un épisode marquant de sa vie.

Si la mère de la patiente a été – ou est encore – elle-même anorexique, les choses sont plus compliquées. Dans ce cas, la mère doute fortement que sa fille puisse guérir. Je me rappelle une situation qui m'avait particulièrement dérangé. Aline était une adolescente anorexique qui se faisait vomir et avec laquelle j'avais établi un solide lien thérapeutique ; nos rencontres étaient toujours fructueuses, sauf lorsque sa mère se joignait à nous au moment de la synthèse finale. La mère défaisait systématiquement tout ce que je construisais et repoussait mes conseils et mes plans de soins. Manifestement, elle me faisait peu confiance, et cela nous mettait, Aline et moi, dans un drôle d'embarras. Un jour, je lui ai parlé seul à seule et je lui ai expliqué que je ne pouvais plus continuer à m'occuper de sa fille dans les conditions actuelles. Je lui ai également demandé pourquoi elle agissait comme elle le faisait, vu que son attitude nuisait à Aline qui avait besoin qu'il y ait une certaine harmonie entre elle et moi. Elle m'a répondu qu'elle reconnaissait avoir été désagréable et qu'elle l'avait été à cause de propos que j'avais tenus au cours du premier entretien. Je lui avais alors dit que sa fille avait toutes les chances de s'en sortir et qu'il fallait être patient. Elle avait considéré que mes propos étaient mensongers parce que, « moi, Docteur, ça fait trente ans que je me fais vomir, ce n'est pas vrai que l'on guérit de l'anorexie ». Elle avait seulement oublié de tenir compte du fait que la maladie de sa fille avait débuté à l'adolescence alors que la sienne s'était déclarée à l'âge adulte, ce qui constituait une différence majeure.

Elle avait oublié aussi que chaque patiente est unique et que le potentiel de guérison diffère selon les personnes.

Les études portant sur le devenir des anorexiques dont la maladie s'est déclarée à la période de l'adolescence rapportent que 75 % au moins des anciennes patientes interrogées considèrent qu'elles vont bien et qu'entre 15 % et 25 % vont évoluer vers un état anorexique persistant. Il est vrai que, en tant que pédiatre spécialisé en médecine de l'adolescence, je suis privilégié puisque je reçois des patientes qui ont un âge pour lequel les pronostics de guérison sont les meilleurs. Quand la maladie débute à l'adolescence, elle dure environ quatre ans si l'on prend comme points de référence le moment où la conduite alimentaire restrictive apparaît et le retour au poids préanorexie pour les filles pubères. C'est donc toute la période de l'adolescence, correspondant au Québec aux années d'études secondaires, qui est marquée par la maladie.

Les difficultés du retour à une vie normale

Pour de nombreuses patientes, la fin de l'anorexie correspond à l'entrée dans l'âge adulte, l'âge des choix sur les plans scolaire, professionnel et amoureux. C'est à ce moment qu'elles ressentent le plus durement les conséquences de leur développement dysharmonique, les différents âges (biologique, hormonal, social, psychique, etc.) s'étant mêlés en elles.

Sur le plan scolaire, les anorexiques ont toujours eu du succès dans leurs études. Leurs résultats scolaires impressionnants – maintenus à un niveau d'excellence même pendant leur maladie – leur permettent de se diriger vers n'importe quelles études collégiales ou universitaires. Cependant, la plupart des personnes qui les côtoient ne réalisent pas que, malgré leurs succès scolaires, elles ne se connaissent pas elles-mêmes. Ainsi, qui est la vraie personne qui se cache derrière des relevés de notes aussi exemplaires ? Faute de conviction, les choix d'orientation correspondent à des refuges dorés ; elles se laissent conduire par leur réussite et se retrouvent le plus souvent dans des disciplines scientifiques réservées aux plus doués. Choisir une orientation en fonction d'un désir, d'une passion ou d'un projet et se projeter dans l'avenir sont des choses en effet difficiles pour elles, car elles font face à un grand vide. En effet, il est nécessaire de bien se connaître pour pouvoir faire un bon choix de carrière. Heureusement, du fait de leurs résultats scolaires qui leur permettent d'aller dans toutes les directions, elles peuvent changer radicalement de voie et prendre le temps d'explorer de nouvelles possibilités. C'est un privilège qui peut cependant devenir un fardeau.

Sur le plan professionnel, la situation, paradoxale, est la même. Elles semblent naturellement attirées par les professions liées aux sciences de la santé, mais peuvent aussi avoir de la difficulté à fixer leur choix.

Sur le plan amoureux, alors que la société fait une large place à l'hypersexualisation des enfants et des adolescents, je suis pour ma part en contact quotidien avec l'hyposexualisation de mes patientes. Je rencontre en effet des adolescentes dont la sexualité a cessé de se développer, comme si elles avaient voulu reporter une évolution naturelle à plus tard, voire ne jamais la poursuivre. Il est cependant normal qu'à un moment donné leur sexualité finisse par s'éveiller mais, en raison d'un apprentissage retardé, elles n'ont pas toutes les ressources intérieures nécessaires pour entretenir une relation amoureuse. Devant un garçon qui l'attire, l'adolescente ex-anorexique peut ne pas savoir comment se comporter. Elle ressent là aussi un certain vide qu'elle cherchera à combler rapidement. Il est alors important de lui rappeler que sa vie sexuelle doit être adaptée à ses besoins et à ses limites et qu'elle doit éviter de suivre des modèles dans sa sexualité.

Je me rappelle quelques anciennes patientes âgées d'une vingtaine d'années qui, lorsqu'elles passaient devant l'hôpital, en profitaient pour me rendre visite et me demander conseil. Je pense en particulier à Sophie, une étudiante de vingt ans, qui venait d'être menstruée pour la première fois et qui désirait en savoir plus sur le sujet. Elle était trop mal à l'aise pour en parler avec sa mère ou avec ses amies et même pour emprunter un livre à la bibliothèque. Lire un livre tel que *Toi qui deviens femme* à vingt ans, c'est vrai que c'est un peu gênant. Je lui ai alors prêté un ouvrage qui répondait à ses questions.

Je pense aussi à Françoise, une autre étudiante âgée de vingt et un ans, qui éprouvait pour la première fois du désir pour un garçon avec lequel elle travaillait à l'université mais qui ne savait pas comment l'aborder. Ses questions étaient désarmantes : comment dois-je faire ? L'inviter chez moi ? L'inviter à prendre un café ? Coucher avec lui ? Ces questions surviennent tardivement dans leur vie parce qu'elles ont raté la période d'apprentissage normale. Il faut alors prendre garde à ce qu'elles ne se lancent pas dans des pratiques sexuelles effrénées et vides de sens, parce qu'elles ne savent tout simplement pas comment et quoi faire. Nous avons donc un travail de prévention à faire à ce chapitre.

Je me rappelle aussi une artiste québécoise du milieu du spectacle et de la mode qui avait organisé pour nos patientes anorexiques hospitalisées une séance de maquillage et de coiffure tenue par des professionnels. L'événement a eu beaucoup de succès auprès de mes patientes. Je ne les avais jamais vues aussi féminines et je pense qu'elles ont aimé découvrir cet aspect d'elles-mêmes. La mère de l'une d'elles m'a raconté que, la veille de cette séance de maquillage, sa fille, qu'elle s'apprêtait à raccompagner à l'hôpital après un week-end de congé, au lieu d'entrer dans la voiture, a filé vers sa chambre en disant qu'elle avait oublié quelque chose. Elle était allée chercher dans la penderie une petite jupe qu'elle n'avait pas portée depuis au moins deux ans. Elle tenait en effet à être en jupe pour la séance de maquillage et de coiffure et avait insisté pour que je passe la voir. Dans la féminité qu'elle évoquait à travers ces détails anecdotiques, elle était très touchante. Alors que se maquiller, se coiffer et s'habiller sont d'une grande banalité pour les adolescentes normales, pour les jeunes filles anorexiques hyposexuées, cela représente beaucoup.

Et la vie continue

Arrivées au quatrième acte de la maladie, certaines jeunes filles devenues adultes vont s'autoriser à réfléchir plus en profondeur sur les causes de leur anorexie. Qu'est-ce qui a bien pu se passer pour qu'elles en arrivent là ? Avec le recul, elles peuvent découvrir en elles-mêmes certaines fragilités, et plusieurs d'entre elles vont vouloir poursuivre un travail d'introspection et de réflexion. C'est le moment où la consultation d'un psychologue devient très utile. Il faut les encourager dans leur démarche, car jamais leur désir de comprendre leur maladie et de se comprendre n'aura été aussi fort.

D'autres patientes, après s'être rétablies sur le plan pondéral, seront tentées tout simplement de tourner la page pour de bon. Elles laissent derrière elles leur passé comme un fardeau et font face à l'avenir munies d'armes solides. Elles se connaissent mieux, agissent avec prudence et se regardent elles-mêmes avec bienveillance. Elles gèrent bien leur nouvelle vie si je me fie à leurs visites éclair à l'hôpital, aux courriels ou aux photos de leur bébé qu'elles m'envoient...

Par contre, celles qui ne parviennent pas à se débarrasser de leur maladie et qui évoluent vers un état chronique sont plus susceptibles de souffrir d'un autre trouble de nature psychiatrique. Elles peuvent souffrir de troubles de la personnalité, de troubles de l'humeur ou d'états dépressifs, les trois pathologies les plus fréquemment associées à l'anorexie chez les adultes. On est alors en présence d'une comorbidité. Ces patientes qui exigent beaucoup depuis le début de leur maladie auront déjà fait l'objet d'un transfert en psychiatrie, car elles n'auront pu trouver dans ma clinique les soins spécialisés dont elles ont besoin.

Au cours du quatrième acte, les consultations sont plus détendues et plus joyeuses. L'adolescente est devenue enfin adolescente dans toute l'acception du terme et les parents sont soulagés. Cependant un problème médical perdure souvent, celui de l'aménorrhée secondaire (arrêt des menstruations), présent chez celles qui avaient déjà été menstruées avant leur anorexie, ou d'une aménorrhée primaire prolongée (absence de menstruations) pour celles qui n'avaient jamais été menstruées avant la maladie.

La fin de l'aménorrhée, signe de guérison

L'aménorrhée secondaire, qui a été le premier symptôme de la maladie, est le dernier à disparaître. Autant cette aménorrhée faisait l'affaire de l'adolescente durant sa maladie, autant cette dernière est perturbée lorsque les menstruations tardent à revenir. Pour elle, c'est lorsque reviennent ses cycles menstruels qu'elle a l'impression d'être vraiment guérie et surtout d'être de nouveau une adolescente comme les autres. Il faut alors la rassurer en lui expliquant que le temps nécessaire pour déclencher des menstruations varie d'une personne à l'autre et qu'il faut avoir déjà repris un poids significatif et posséder un certain pourcentage de tissus gras pour que puisse se rétablir le métabolisme hormonal. Il faut donc être patient, car le rééquilibrage hormonal se fait lentement. Des pertes vaginales (leucorrhée physiologique) de plus en plus abondantes sont les signes précurseurs du retour du cycle menstruel. Si l'adolescente ne présente aucun de ces symptômes, je lui prescris au besoin un bilan hormonal pour lui prouver que son organisme est bien en mode de récupération.

Personnellement, je recommande d'éviter les traitements hormonaux et d'attendre patiemment le retour naturel du cycle menstruel. Certains professionnels de la santé ont volontiers recours aux hormones, mais les résultats des études sur le sujet ne me paraissent pas convaincants. Je continue à croire qu'il est préférable et plus naturel d'attendre que le cycle se rétablisse de lui-même, sauf dans un cas précis. Si l'adolescente a un ami et si elle a actuellement des relations sexuelles ou prévoit en avoir bientôt, je lui propose de prendre des anovulants comme moyen contraceptif. Ainsi elle aura des cycles artificiels et sera protégée. Les jeunes filles en général acceptent volontiers cette suggestion thérapeutique, mais s'inquiètent de la prise de poids que peuvent entraîner les pilules. Nous leur recommandons alors un suivi thérapeutique portant principalement sur la contraception, ce qu'elles apprécient grandement. Fermer le dossier de l'anorexie pour ouvrir celui de la contraception est un grand pas pour elles comme pour nous.

Au cours des dernières rencontres du quatrième acte surgit toujours une question, le plus souvent posée par la mère : « Docteur, ma fille sera-t-elle stérile ? Pourra-t-elle avoir des enfants ? » Ce sont des questions bien légitimes puisque tout ce qui a trait au féminin a été effacé pendant trois à cinq ans. Je réponds toujours avec humour que le principal problème auquel fera face sa fille ne sera pas le risque de stérilité, mais la recherche du compagnon avec qui elle aimera vivre. Si la jeune fille a retrouvé son poids normal et si ses menstruations sont revenues, elle est alors guérie et on ne s'attend pas à ce qu'il y ait de problème de fertilité. Par contre, si le poids demeure inférieur à la normale et si la jeune fille continue à faire beaucoup d'exercices physiques et à contrôler son alimentation, il se peut effectivement que survienne un problème. Les études que nous avons réalisées auprès de nos anciennes patientes sur le sujet indiquent qu'il n'y a pas d'effets majeurs sur le taux de fertilité. Les trois quarts de nos anciennes patientes qui désiraient un enfant avaient vu leur souhait exaucé au moment de l'étude. Puisqu'elles étaient toutes encore en âge de procréer, ce pourcentage aurait été encore plus élevé si notre enquête avait été menée quelques années plus tard.

Le risque de dépendance affective

Comme nous soignons, aidons et accompagnons nos patientes pendant des années, nous finissons parfois par nouer avec certaines d'entre elles des liens très forts. Or, il est primordial que ces liens ne deviennent pas des liens de dépendance. Je me suis toujours soucié d'éviter ce genre de lien. Il faut en effet que la patiente quitte l'hôpital de manière sereine et qu'elle se détache de notre unité pour être dirigée vers un milieu adulte, le cas échéant. Depuis le début de la prise en charge, le transfert possible vers un autre service est envisagé par la patiente et ses parents; c'est un cheminement normal et naturel que nous devons faciliter dans la mesure de nos moyens.

Mais reconnaissons que le transfert en milieu adulte est difficile, il occasionne de l'anxiété, car il y a rupture avec une équipe et un mode précis de traitement. La mère (autant que la fille) doit faire le deuil de l'équipe pédiatrique à laquelle elle avait un accès illimité, car elle pouvait accompagner sa fille à ses visites médicales ou téléphoner en tout temps. N'oublions pas que ce sont les mères qui nous ont contactés et qu'elles ont aimé la courtoisie de l'infirmière et la qualité des échanges avec elle. « Enfin, j'ai trouvé quelqu'un qui me comprend et connaît cette maladie », disent-elles souvent à l'infirmière au cours de la première conversation téléphonique. Elles ont apprécié aussi le fait d'avoir obtenu un rendez-vous rapidement, d'avoir pu participer aux consultations médicales et de disposer constamment de notre soutien. Elles savent bien que cela sera différent en milieu adulte, qu'elles ne seront pas traitées de la même façon. Ce sevrage rapide les inquiète et elles le disent de manière très explicite au cours des dernières consultations. Pour vivre au mieux cette phase de transition, je leur conseille d'adhérer à un groupe de soutien pour parents en milieu adulte. La fréquentation de ce genre de groupe les aidera grandement à traverser la période difficile qu'elles vivent.

Pour la patiente, le passage au milieu thérapeutique adulte peut être également difficile à vivre. Elle se retrouve soudainement dans une nouvelle structure médicale où elle aura à côtoyer d'autres adultes souffrant parfois de pathologies très différentes de la sienne (toxicomanie, etc.). Comme elle a dix-huit ans révolus, elle sera traitée comme une personne majeure responsable de ses actes, dégagée de l'autorité parentale. Or, l'âge de la majorité civile ne correspondant pas à l'âge de son développement physique et psychique, le fait de vivre avec d'autres adultes plus mûrs qu'elle peut renforcer son isolement et sa solitude. Le transfert en milieu adulte peut être alors perçu par elle comme une forme d'abandon de la part non seulement de l'équipe médicale, mais aussi de ses parents, qui ne sont plus les bienvenus dans son nouvel univers. C'est pourquoi j'ai l'habitude de toujours répondre positivement aux demandes des patientes et des parents qui souhaitent prolonger un certain temps le suivi avec moi. Il va de soi que cet accompagnement s'étendra sur une courte période, car nous rendrions un mauvais service aux jeunes adultes en continuant de les traiter comme des adolescentes. Quitter le nid pédiatrique dans lequel elles ont évolué au cours des trois ou cinq dernières années ne se fait pas sans craintes ni soucis.

Les mères ont aussi leurs problèmes

Au cours du quatrième acte, les mères peuvent faire face à plusieurs problèmes dont elles ne soupçonnaient pas l'ampleur. Tout d'abord, les tensions qu'elles ont vécues au quotidien pour maintenir au fil des ans un équilibre au sein de la famille les ont épuisées. L'anorexique a exigé tellement de soins et d'attention que les autres membres de la famille peuvent avoir le sentiment d'avoir été négligés.

La maladie a également des répercussions sur le plan professionnel. Les mères ont dû s'absenter souvent, elles ne sont peut-être plus aussi productives qu'avant et elles ont peut-être dû refuser une promotion parce qu'elles étaient incapables de se concentrer. Elles n'ont souvent plus assez de temps ni assez d'énergie pour s'investir dans leur vie professionnelle, et celle-ci, par ailleurs, leur paraît bien secondaire au regard de la maladie de leur fille.

Enfin, souvent, elles sont elles aussi aux prises avec un problème de poids, un aspect de la maladie qu'on aborde rarement, du moins à ma connaissance. Il faut dire que les mères ont presque constamment été présentes aux côtés de leur fille depuis le début de l'anorexie. Pendant de longues années, elles ont préparé des repas et des collations dans un climat de stress, elles ont passé beaucoup de temps assises à table à regarder manger leur fille en espérant qu'elle vide son assiette, elles ont prolongé les repas pour éviter que leur fille aille se faire vomir, etc. Elles ont aussi beaucoup cuisiné, goûtant les différents plats pour qu'ils soient au goût de leur fille, etc. Inévitablement, cette obsession culinaire a entraîné chez bon nombre d'entre elles un gain de poids parfois très visible. Elles n'en sont généralement pas fières, mais, pour montrer le bon exemple, elles refusent de se mettre au régime.

Une fois rassurées sur l'évolution positive de la maladie de leur fille, certaines mères chercheront à perdre du poids et me demanderont si elles peuvent sans crainte se mettre au régime. Je les encourage toujours à le faire et j'explique à leur fille, qui est ma patiente, que perdre du poids à l'âge adulte n'est pas simple et qu'elle doit éviter de faire des remarques désobligeantes à sa mère.

Fin de l'acte 4

Après l'anorexie, la vie reprend son cours normal avec ses réussites et ses échecs, ses bonheurs et ses peines, ses souvenirs heureux ou moins heureux. Tout récemment, comme je me rendais dans une boutique de prêt-à-porter masculin pour une course rapide, une dame m'a accosté et m'a demandé si j'étais bien le Dr Wilkins. Elle m'a dit que je l'avais soignée pour une anorexie plus de trente ans auparavant. Elle était contente de me revoir et de me présenter à son mari. Je me suis rappelé la jeune adolescente qu'elle avait été et j'étais heureux de constater qu'elle s'était très bien rétablie de sa maladie. Deux ou trois minutes après, une autre ancienne patiente est entrée et est venue me saluer avec beaucoup de chaleur. Deux femmes belles et sereines qui ont renforcé ma conviction que l'anorexie est une maladie dont on peut sortir grandi.

CHAPITRE 9

La mortalité

Entre 1990 et 2008, ce sont 2110 adolescents, essentiellement des filles, qui ont été évalués pour anorexie dans notre section de médecine de l'adolescence. Quand ces jeunes filles arrivent chez nous, je leur propose soit un suivi en clinique externe avec des rencontres régulières à des intervalles qui sont fonction de la gravité de leur cas, soit une hospitalisation si elles sont épuisées physiquement (les signes vitaux sont très bas) ou mentalement. La durée du traitement, qui varie suivant l'état de santé initial de la patiente et sa réponse au traitement, peut aller de plusieurs mois à plusieurs années.

La littérature médicale rapporte régulièrement une mortalité élevée pour ce type de malades. Cette réalité a été un choc au début de ma pratique et m'a amené à me poser de nombreuses questions. Spécialisé en médecine de l'adolescence, je connaissais les causes les plus fréquentes de mortalité à cet âge : les accidents de la route, les suicides, les homicides (dans les milieux présentant un taux élevé de criminalité), le cancer, etc. Il ne m'était jamais venu à l'idée que l'on pouvait mourir d'un trouble de la conduite alimentaire à l'adolescence jusqu'à ce que je reçoive en consultation des patientes dans un état d'extrême maigreur. Comment était-il possible d'en arriver là ? Pourquoi se mettre dans cet état ? Comment avait-on pu laisser ces jeunes filles abîmer leur santé à ce point ?

Vivre à tout prix

Bien qu'un état de maigreur avancé puisse constituer une menace pour la vie des anorexiques, il y a lieu de s'étonner de l'extraordinaire capacité du corps humain à s'adapter à une conduite alimentaire aussi draconienne et aussi soutenue. Ces jeunes filles qui n'ont plus que la peau et les os vivent malgré tout, vont à leurs rendez-vous en clinique externe, mènent une vie quasiment normale. Il est important de tenir compte de cette réalité parce que le traitement des cas extrêmes doit prendre en considération la capacité d'adaptation dont fait preuve le corps humain. Un traitement en urgence requiert donc une extrême prudence et une grande douceur de façon à ne pas brutalement rompre l'équilibre vital établi naturellement par le corps.

J'ai toujours considéré comme essentiel, devant ces cas extrêmes mais rares, de bien identifier les problèmes, d'établir le bon diagnostic et de prendre le temps d'expliquer à l'adolescente l'état très précaire dans lequel elle se trouve. Rappelons que ces jeunes filles veulent vivre et non pas mourir. Leur conduite anorexique n'est pas un suicide à petit feu, comme on le pense trop souvent. Cette perception est absolument erronée bien qu'elle puisse être justifiée par l'observation de leur comportement. L'expérience montre que, lorsqu'on décrit calmement à la patiente son état clinique, elle finit toujours par comprendre l'urgence d'intervenir et elle nous autorise à la soigner à condition que nous avancions à son rythme et que nous agissions sans brusquerie.

Un jour, je reçois une de mes patientes à l'occasion d'une visite de contrôle. Tout va bien pour elle, je suis très satisfait de son évolution et, au moment de prendre congé, elle me demande de recevoir Jacqueline, l'amie qui l'accompagnait, parce qu'elle la trouvait très malade. Il faut dire d'abord que des membres du personnel qui, passant près de la salle d'attente, avaient été impressionnés par sa maigreur et m'avaient téléphoné deux fois. J'ai accepté de la recevoir. Même si elle était habillée jusqu'au cou, sa maigreur était en effet impressionnante. Elle sortait d'un long séjour dans la section psychiatrique d'un autre hôpital et avait perdu le poids qu'elle avait gagné durant son hospitalisation. Elle venait d'avoir dix-huit ans et refusait que je l'examine pour évaluer ses signes vitaux malgré l'insistance de son amie qui lui avait parlé de moi dans des termes très élogieux. Elle ne voulait pas non plus retourner dans une unité de psychiatrie, ce qui était son droit vu son âge. Après un long moment, je lui ai demandé de me laisser simplement toucher ses mains. Elle a d'abord refusé parce qu'elle craignait que je ne la déjoue en mesurant son rythme cardiaque. Puis, se ravisant, elle m'a laissé faire pendant un court instant. Lui toucher le bout des doigts m'a permis de constater que sa vitesse de recapillarisation était bonne malgré son état général précaire. Je le lui ai dit et, à sa demande, lui ai expliqué le motif de mon geste clinique. Un lien très ténu venait de s'établir. Malgré l'inquiétude de son amie qui voulait que je l'examine plus longuement, je lui ai proposé de la revoir quelques jours plus tard et lui ai fait part du plan de soins que j'envisageais pour elle. Jacqueline est revenue moins d'une semaine après et a accepté mon suivi médical à la condition que je sois le seul intervenant à s'occuper d'elle. Elle a séjourné quelques mois dans notre service.

Cette jeune fille était notre première patiente à être hospitalisée dans un état extrême de dénutrition. Elle se déplaçait à peine, était ultrasélective sur le chapitre de la nourriture, manifestait une indifférence totale à l'égard des autres, contestait tout mais restait invariablement souriante, radieuse et polie avec moi. Un jour, à sa demande et afin de lui éviter d'avoir à signer un refus de traitement, je lui ai donné son congé de l'hôpital bien qu'elle fût encore très maigre. Je lui ai proposé un transfert en milieu psychiatrique adulte. Elle a refusé, mais a accepté de continuer à me voir en clinique externe. Lors de sa dernière visite, elle m'a assuré qu'elle n'allait plus se détériorer sur le plan pondéral sans pour autant s'engager à améliorer son état. Six mois plus tard, quelques jours avant Noël, elle est venue à la clinique avec sa mère pour m'adresser ses bons vœux. Elle avait doublé de poids, réussissait très bien dans ses études et affichait le même sourire radieux qui ne l'avait pas quittée.

Les critères d'hospitalisation

Le corps médical ne sait que trop bien que la mortalité est un élément central dans les soins quotidiens auprès des anorexiques et, avec l'expérience acquise, nous parvenons de mieux en mieux – et assez facilement – à prévenir le décès de patientes qui arrivent dans un état critique à l'hôpital. En effet, grâce à la médiatisation de la maladie, le dépistage s'est amélioré et les jeunes filles sont amenées en consultation à un stade moins critique de leur maladie. Par conséquent, les situations extrêmes et catastrophiques caractérisées par une bradycardie inférieure à 30/min, une hypotension extrême et une perte pondérale de plus de 40 % par rapport au poids initial sont de plus en plus rares. Les risques de mort, notamment par arrêt cardiaque ou par syndrome de renutrition, sont ainsi réduits. Les dangers liés à l'hypokaliémie, qui peut être fatale dans les cas de boulimie et de vomissements auto-induits, représentent toutefois un grand stress et continuent d'être étroitement surveillés par tous ceux et celles qui traitent ces patientes.

La première fois où j'ai été confronté au décès d'une jeune femme anorexique remonte à plus de vingt-cinq ans et concerne une personne que nous ne connaissions pas à l'hôpital. Un matin, j'ai reçu un appel téléphonique d'une mère qui venait de perdre sa fille, morte des suites d'une anorexie. La jeune femme, âgée d'une vingtaine d'années, avait été retrouvée inanimée dans son lit. Sa maman voulait nous remettre la somme se rattachant à son assurance-vie pour que nous l'investissions dans la recherche hospitalière.

À cette époque, la maladie était mal connue, peu répandue et nous en étions seulement à l'étape de la définition des critères d'hospitalisation. À partir de quel stade faut-il hospitaliser une patiente ? Quels sont les critères les plus pertinents ? Comme médecins, nous observions souvent chez ces jeunes filles une bradycardie inquiétante de 15,

30, 40/min. Nous avons alors empiriquement décidé que nous ne devions pas accepter une bradycardie inférieure à 50/min en clinique externe et que toute patiente présentant un rythme cardiaque inférieur à ce seuil serait hospitalisée, sachant que le simple fait de l'hospitaliser, c'est-à-dire de la mettre au repos, améliorerait cette donnée vitale. C'est ainsi que nous avons commencé à prévenir les décès.

Ce critère d'hospitalisation a subi l'épreuve du temps; il a fait l'objet d'un certain nombre d'études et il est encore utilisé avec les adolescentes anorexiques traitées en médecine de l'adolescence. Je suis encore aujourd'hui reconnaissant à cette maman qui nous avait contactés pour nous faire part du décès de sa fille, alors que nous ne l'avions pas soignée, parce que c'est grâce à ce cas clinique que le critère du rythme cardiaque inférieur à 50/min a été fixé.

Nous entendons souvent dire que l'anorexie mentale s'accompagne d'un taux élevé de mortalité. Des études le démontrent, mais je pense qu'il faut être prudent devant leurs conclusions. Précisons d'abord que cette affirmation ne vaut pas pour la période de l'adolescence. Étant donné le grand nombre de cas traités dans notre service depuis le début, nous aurions dû faire face plus souvent à des situations critiques. Or, depuis la mise en route de notre programme en médecine de l'adolescence en 1974, aucune patiente anorexique n'est décédée dans notre unité de soins. Certaines sont décédées à l'âge adulte pour des raisons liées à leur anorexie et d'autres sont mortes pour des raisons tout à fait étrangères à l'anorexie. En 2008, on dénombrait huit cas d'anciennes patientes anorexiques décédées à l'âge adulte, toutes causes confondues.

Diverses études sur le taux de mortalité

En 2003, nous avons mené une étude sur le devenir gynéco-obstétrical de 279 adolescentes anorexiques hospitalisées dans notre service entre 1975 et 1992. Au cours de cette étude, nous avons appris par la Régie de l'assurance-maladie du Québec que cinq de ces adolescentes étaient décédées à l'âge adulte, ce qui donne un taux brut de mortalité de 1,8 % pour ce groupe de patientes.

Parmi ces cinq décès, deux ont un lien avec l'anorexie mentale, ce qui ramène le taux brut de mortalité à 0,7 %, un des plus faibles qui aient été rapportés dans la littérature médicale. Les trois autres causes de décès sont un cancer, un accident de véhicule tout-terrain et une maladie inflammatoire du tube digestif.

Étendons notre étude à tout le Québec. L'Institut de la statistique du Québec nous apprend que, pour la période allant de 2000 à 2005, neuf décès par anorexie ou boulimie chez les patientes âgées de dix ans et plus ont été enregistrés au Québec et que, sur ces neuf cas, deux au maximum concernaient de jeunes adolescentes. Pour des raisons de confidentialité, l'Institut ne nous a pas communiqué le chiffre exact.

Se fondant sur une étude qui porte sur un groupe de 5 334 personnes, Hans-Christoph Steinhausen rapportait dans un article scientifique publié en 2002 dans la revue *American Journal of Psychiatry* un taux de mortalité moyen de 5 % avec une variante entre 0 et 22 %. Chez les patients dont l'anorexie mentale est apparue à l'adolescence (soit un groupe de 784 personnes), le taux de mortalité brut était de 1,8 %. Ce taux augmentait avec la durée du suivi : il passait de 0,9 % pour un suivi inférieur à quatre ans, à 4,9 % pour un suivi entre quatre et dix ans et à 9,4 % pour un suivi de plus de dix ans.

Les causes de décès liés à l'anorexie qui sont indiquées dans les différentes études sont la dénutrition, les troubles cardiaques, les troubles électrolytiques et le suicide.

Retour sur l'expérience de l'hôpital Sainte-Justine

Afin de mieux comprendre les circonstances des décès des patientes incluses dans l'étude réalisée en 2003, j'ai pris contact directement avec les familles. J'ai ainsi appris que les deux cas de décès liés à l'anorexie correspondaient au suicide par intoxication médicamenteuse de deux femmes de vingt-six ans et de trente et un ans. Elles étaient suivies en milieu psychiatrique et présentaient d'autres problèmes (comorbidité). Celle qui était âgée de vingt-six ans ne souffrait pas de trouble alimentaire actif au moment de son décès selon son père, mais était traitée pour un trouble de la personnalité. Celle de trente et un ans présentait un trouble alimentaire encore actif accompagné d'un problème de toxicomanie et de prostitution. Dans leurs dossiers médicaux respectifs, l'anorexie avait été considérée comme un trouble secondaire à l'époque de leur adolescence.

Depuis cette étude de 2003, quatre autres décès de jeunes femmes traitées à notre clinique nous ont été signalés :

- La première est subitement décédée chez ses parents à l'âge de dix-neuf ans et demi des suites d'une hypokaliémie. Selon le rapport du coroner, elle a souffert d'une arythmie maligne avec hypokaliémie sévère. Sa kaliémie était à 2,9 mmol/L pendant les manœuvres de réanimation. Elle avait été transférée dans un milieu psychiatrique adulte après une brève prise en charge dans notre service. Plus tôt dans son adolescence, elle avait été traitée en milieu psychiatrique pour une anorexie diagnostiquée à quatorze ans.

- Une autre jeune femme âgée de vingt-quatre ans s'est pendue alors qu'elle faisait un stage d'études en Californie. Elle consultait en psychiatrie et sa médication venait tout juste d'être modifiée. Son anorexie avait été diagnostiquée à l'âge de quinze ans. Son état clinique avait nécessité trois hospitalisations dans notre service. Au moment où elle avait reçu son congé de notre clinique, elle était revenue à son poids préanorexie. Selon sa mère, elle était traitée pour une dépression saisonnière depuis quelques années.
- Le troisième cas concerne une ex-patiente décédée à la suite d'un accident impliquant une automobile et un piéton. Selon sa mère, son anorexie avait été soignée.
- Enfin, en 2008, une autre jeune fille âgée de dix-neuf ans s'est suicidée par pendaison. Elle était suivie dans un milieu psychiatrique adulte spécialisé dans les troubles alimentaires après avoir été traitée dans notre service pendant deux ans. Cette jeune fille se faisait vomir quotidiennement. Elle avait été l'objet d'un suivi en clinique externe rattaché à notre programme en plus d'un suivi avec une psychothérapeute privée et d'un autre en psychiatrie. Elle suivait un traitement prescrit par son psychiatre. Son transfert en milieu adulte s'était fait assez aisément.

Il est intéressant de noter que toutes ces jeunes femmes avaient retrouvé un poids normal au moment de leur décès. Mais trois d'entre elles considéraient leur reprise pondérale comme un handicap sérieux, selon ce que m'ont dit leurs proches. Le fait qu'elles ont retrouvé leur poids naturel préanorexie, comme cela arrive chez la plupart des adolescentes souffrant d'une anorexie mentale, montre que la reprise pondérale n'est pas nécessairement synonyme de guérison.

Le passage à l'âge adulte : une période à risques

Ces différentes études montrent que les décès surviennent peu après le transfert des patientes en milieu thérapeutique adulte, ce qui nous oblige à considérer de plus près cette étape. Comme je l'ai mentionné, l'anorexie mentale à l'adolescence s'accompagne toujours d'une certaine dysharmonie dans le développement, plus ou moins marquée selon les individus, leur aménorrhée secondaire témoignant d'une régression sur le plan hormonal. Cette dysharmonie dans le développement rend leur passage au milieu adulte plus difficile. À cela peut s'ajouter le désir des adolescentes de rompre avec ceux et celles qui les soignent et de s'opposer à leurs parents qui exigent un suivi médical. L'autonomie obtenue à l'âge adulte peut donc malheureusement les conduire vers un état de grande fragilité sur le plan de la santé.

La période allant de dix-huit ans à trente ans est, de toute évidence, la plus délicate pour les patientes. Certaines voudront profiter de ce moment pour faire « une pause dans leur thérapie ». Mieux identifier et mieux accompagner ces jeunes femmes susceptibles de voir leur état se détériorer au cours de leur passage au milieu adulte constitue un défi pour l'équipe de soins. En effet, les structures d'accueil pour les adultes anorexiques ne sont pas nombreuses et elles relèvent du domaine de la psychiatrie. C'est pourquoi je crois personnellement qu'un médecin de famille devrait continuer à suivre les malades en milieu adulte et à surveiller les signes vitaux ainsi que les troubles électrolytiques, ce que ne font pas nécessairement tous les intervenants en psychiatrie.

De plus, il importe d'évaluer fréquemment le risque de tentative de suicide, surtout chez les jeunes adultes ayant retrouvé leur poids initial sans le souhaiter. En 1991, Philippe Jeammet, professeur de psychiatrie et spécialiste des troubles de la conduite alimentaire, a écrit : « Le suicide n'est pas exceptionnel (autour du 1/3 des cas). Dans notre expérience, il correspond toujours à un abandon de la conduite anorexique ; soit momentané avec une alternance de conduites restrictives et d'épisodes boulimiques très mal supportés par la patiente, soit plus définitif, laissant alors paraître l'ampleur du sentiment de vide et de désarroi sous-jacent. » C'est également ce que notre expérience à Sainte-Justine nous enseigne.

Autres situations à risques

Les autres causes majeures de décès associés aux troubles de la conduite alimentaire sont relatives aux troubles électrolytiques. L'hypokaliémie (baisse dramatique du potassium sérique), le trouble le plus fréquent, s'observe chez celles qui ont recours aux vomissements, comme je l'ai déjà mentionné. La surveillance du potassium sérique est toujours une gageure, car elle nécessite la collaboration de la patiente. Elle sait mieux que nous quelles sont la fréquence et l'intensité de ses vomissements, deux éléments qui permettront de déterminer à quel moment il convient de procéder au contrôle.

Par ailleurs, certaines patientes peuvent au cours de la maladie se mettre à boire de l'eau avec excès. Si ce problème n'est pas traité, il peut être fatal. Une quantité excessive d'eau dans l'organisme provoque en effet un problème électrolytique grave. La valeur du sodium (Na) dans le sang atteint un niveau trop bas (hyponatrémie), ce qui entraîne des convulsions et parfois la mort. Bon nombre d'accidents de ce genre ont été rapportés dans la littérature des années 1980, ce qui a conduit les équipes médicales à ajuster leur traitement. Ce type de complications est aujourd'hui très rare.

En résumé, toutes nos anciennes patientes décédées à l'âge adulte des suites de leur anorexie étaient traitées en psychiatrie au moment de leur décès. Selon les informations que j'ai obtenues, elles suivaient un traitement médicamenteux – certaines prenaient des antidépresseurs – et étaient suivies sur le plan médical. Pourtant, de toute évidence, cela n'a pas été suffisant pour prévenir leur suicide. Mais que pouvions-nous faire de plus ?

Ces cas malheureux nous montrent que le traitement des jeunes femmes anorexiques devenues adultes demeure compliqué et que la prévention du suicide est un défi majeur. Même si nous n'avons connu aucun décès dans notre unité de soins à Sainte-Justine depuis 1974, il nous faut rester vigilants et ne jamais relâcher notre surveillance.

CHAPITRE 10

Réflexions sur des situations cliniques singulières

En trente-six ans de pratique médicale auprès des anorexiques, j'ai dû prendre en charge des situations cliniques aussi complexes que variées. Celles qui sont particulièrement problématiques méritent d'autant plus d'être explicitées qu'elles ne font pas souvent l'objet d'études et d'articles scientifiques. J'examinerai donc ici quelques situations particulièrement délicates et apporterai des éléments de réponse et de réflexion qui tiennent compte de mon expérience clinique.

Je précise que j'ai toujours travaillé dans un hôpital universitaire et que notre unité de soins a depuis le début le statut d'unité d'enseignement. On y trouve donc des étudiants en médecine de tous les niveaux et des résidents en pédiatrie, de même que des stagiaires en médecine de l'adolescence.

Travailler avec d'anciennes anorexiques

Pour commencer, j'examinerai la question de la collaboration avec des personnes qui souffrent d'un trouble manifeste de la conduite alimentaire ou qui en ont souffert dans le passé. J'ai dû m'occuper de ce genre de problème à de multiples reprises et j'ai souvent trouvé cela difficile à gérer.

En quoi le fait d'avoir été soi-même anorexique peut-il poser un problème à un membre d'une équipe de soins spécialisée dans le traitement de l'anorexie ? À première vue, si une infirmière ou une pédiatre a elle-même souffert de la maladie, on pourrait s'attendre à ce qu'elle comprenne bien les difficultés éprouvées par les jeunes filles hospitalisées et sache mieux que personne pourvoir à leurs besoins et soulager leur détresse. Or, il n'en est rien, et c'est un fait très troublant. J'ai toujours été dérouté par la sévérité de certaines prescriptions établies par des médecins en formation que j'avais traitées pour anorexie au cours de leur adolescence. Certaines intervenantes jugeaient durement les patientes et étaient très exigeantes envers elles, comme si leur comportement autoritaire pouvait accélérer la guérison. Peut-être auraient-elles préféré ne plus les voir dans leur unité de soins parce que, plus ou moins consciemment, elles avaient peur de revivre un passé douloureux. Peut-être ne supportaient-elles pas d'être confrontées quotidiennement à leur hyperactivité et à leur capacité à tout contrôler, alors qu'elles-mêmes se trouvent dépourvues à ce chapitre. Pour certaines ex-patientes de mon service ou d'autres, le fait de côtoyer de nouvelles anorexiques suscite souvent une rivalité qu'elles n'apprécient ni n'assument. C'est un passé trop proche qui est ravivé. Elles se revoient elles-mêmes anorexiques.

Je me demande si ces soignantes sont véritablement à l'aise avec les patientes et leurs parents. Peuvent-elles être de meilleur conseil que les intervenantes qui n'ont jamais souffert de la maladie ? La confrontation avec une patiente déjà adulte est-elle moins difficile qu'avec une adolescente ou une préadolescente dont la problématique est encore différente ? Je ne puis apporter de réponses claires à ces questions. Il m'est arrivé souvent de convoquer une interne en pédiatrie ou une stagiaire que j'avais traitée pour anorexie dans le passé et d'être obligé de lui faire remarquer la dureté de son comportement. Nos échanges ressemblent alors à un dialogue de sourds. « Est-ce que vous auriez aimé que je vous traite de cette façon lorsque vous suiviez un traitement ? » « Non, bien sûr, mais il faut bien qu'elles sortent de cette maladie. »

Kenia, une étudiante interne en pédiatrie que j'avais soignée quand elle était adolescente, faisait un stage dans notre unité de soins. Son attitude à l'égard des nouvelles patientes était curieuse : dans les soins qu'elle leur donnait, elle avait tendance à oublier qu'elles étaient anorexiques, elle les traitait bien du point de vue de leurs données physiologiques, mais elle ne tenait pas compte du facteur d'adaptation bien particulier de l'anorexie. Par exemple, la vitesse de la perfusion, lorsqu'il était nécessaire de recourir à celle-ci, était souvent trop rapide et affectait l'état clinique des patientes. Je lui ai demandé plusieurs fois de faire plus attention, mais en vain. Kenia dans son adolescence avait longtemps nié l'existence de son propre trouble alimentaire et je me demandais si elle ne cherchait pas à nier aussi l'existence du problème chez ses patientes. Pour être sûr que ces dernières ne pâtissent pas de son comportement quelque peu persécuteur, j'ai dû demander au personnel infirmier de m'appeler chaque fois que Kenia était de garde et devait faire l'admission d'une patiente anorexique.

Une autre fois, alors que je me présentais dans l'unité de soins comme tous les matins pour ce que nous appelons la tournée des malades, je fus surpris de trouver trois de mes anciennes patientes autour du chariot des dossiers médicaux, prêtes à entamer la tournée avec moi. Ces étudiantes commençaient leur stage ce matin-là, un stage d'une durée d'un mois. Ayant été malades à des époques différentes, elles ne s'étaient jamais rencontrées auparavant et chacune d'entre elles ignorait tout du passé de ses consœurs. C'était une matinée difficile pour moi, j'avais hâte de les recevoir individuellement en fin de journée pour savoir comment chacune avait réagi au contact des anorexiques qui leur rappelaient une période récente de leur vie. Cela s'est heureusement bien passé; elles étaient toutes les trois sereines et, bien qu'ébranlées par cette rencontre avec des anorexiques hyperactives, elles souhaitaient apprendre et s'investir dans leur stage qui finalement s'est très bien déroulé. L'une d'elles m'a avoué toutefois avoir été troublée en entrant pour la première fois dans la salle de séjour, la vue des petites anorexiques en action, occupées à leurs travaux scolaires, avait provoqué chez elle un choc; pendant un instant, elle les avait enviées et leur en avait voulu d'être capables d'un tel contrôle. Ce choc est survenu comme un flash, a-t-elle dit; un bref moment après, elle s'est mise au travail, le choc était passé.

Il y a quelques années, j'ai appris le décès par suicide d'une pédiatre dans la trentaine que j'avais connue durant ses années de formation dans notre hôpital. Je me souvenais bien d'elle, car elle était originaire de la même petite ville que moi et je connaissais bien son père. J'ai appris par ses parents, après son décès, que cette jeune femme avait souffert d'anorexie durant son adolescence et qu'elle avait été hospitalisée en psychiatrie plusieurs fois. Sur le plan physique, elle était particulièrement mince ; des étudiantes de sa promotion m'ont dit par la suite que, durant leurs années de formation, personne ne se rappelait avoir pris un repas en sa compagnie. Pour ma part, je me suis souvenu que, dans son stage en médecine de l'adolescence, elle n'a participé à aucune de mes cliniques, préférant travailler auprès d'un autre médecin enseignant. Je m'en étais étonné, mais, du fait que je connaissais son père, je pensais que cette intimité la gênait. Peut-être aussi voulait-elle se protéger d'un contact trop difficile avec les patientes anorexiques. Je ne l'ai jamais su.

D'autres situations faisant intervenir l'équipe de soins sont susceptibles de poser un problème. Par exemple, lorsqu'une soignante se met soudainement à perdre 10 à 15 kilos, qu'elle ne fréquente plus la cafétéria de l'hôpital et qu'elle fait de la course à pied pendant la pause de midi, y a-t-il lieu de se demander si cette personne pourra accepter le concept de poids naturel, déterminant dans mon approche ? Est-ce qu'elle ne privilégiera pas plutôt l'idée d'un poids santé, qui n'est pas nécessairement le poids naturel de la patiente ? Comme je l'ai déjà souligné, je distingue soigneusement les deux. Le poids naturel correspond en partie à l'héritage génétique de la patiente et lui est personnel, et l'autre fait plutôt référence à une formule mathématique comme le calcul de l'indice de masse corporel (IMC).

Par exemple, une patiente de 75 kg qui perdrait 25 kg atteindrait probablement son poids santé (soit 33 % de perte de poids), mais si elle doit se faire vomir ou se priver sévèrement pour se maintenir à 50 kg, son poids santé est une aberration.

Heureusement, j'ai aussi connu des situations plus positives où d'anciennes patientes hospitalisées dans notre unité reviennent comme étudiantes pour accomplir un stage et elles ne manquent pas de rappeler au personnel soignant leur passé anorexique. Elles aiment aussi évoquer leurs souvenirs, ce qui est toujours apprécié par l'équipe soignante.

J'ai dernièrement rencontré en stage de nombreuses étudiantes infirmières qui avaient séjourné chez nous comme patientes. Âgées de dix-neuf ou vingt ans, elles étaient ravies de nous revoir. Plusieurs ont confié à l'infirmière qui les avait suivies que c'est un peu elle qui leur a donné le goût d'embrasser cette carrière qui les passionne. Elles doivent alors évaluer avec franchise si elles sont capables ou non de faire un stage dans notre unité de soins et de côtoyer de nouveau l'anorexie, cette fois en tant que soignantes.

Pour résumer, comme médecin traitant des anorexiques, il est de mon devoir de m'assurer que tous les intervenants de mon service se sentent à l'aise avec les patientes et n'ont pas de difficultés personnelles. Je dois dire que je suis très vigilant et que je m'efforce de déceler toutes les projections inconscientes potentiellement nuisibles aux adolescentes.

Les anorexiques en voyage

Un deuxième sujet délicat qui revient régulièrement dans ma pratique médicale concerne les voyages organisés par les parents et les établissements d'enseignement. Tous les étés ou durant les week-ends prolongés, les parents sont tentés de faire des voyages avec leur fille anorexique pour lui changer les idées, lui faire connaître d'autres cultures, élargir ses horizons ou peut-être encore la récompenser de ses efforts de guérison. Les parents imaginent que leur fille va en profiter pour se rétablir et partir dans de bonnes conditions, ce qui est impossible du point de vue de la malade. En tant que médecin, c'est à moi de décider de la faisabilité du voyage et de mettre en évidence les risques que comporte ce dernier. Je reconnais que c'est très désagréable de jouer les Cassandre alors qu'ils se réjouissent à l'idée de partir tous ensemble en famille, qu'ils sont assurés que le voyage se passera bien.

Dès que je suis informé d'un projet de voyage, je ne manque pas de conseiller aux parents de souscrire une assurance annulation de voyage et je me fais un devoir de les prévenir de ce qui les attend : il y aura beaucoup de tensions tout au long du voyage, la maladie en fera partie, les repas seront une source permanente de conflits et ils reviendront tous épuisés et déçus. Mes prédictions se réalisent presque toujours. Les parents ont investi beaucoup d'argent et d'énergie sans retirer beaucoup de plaisir. Quant aux frères et sœurs de la patiente, ils seront en colère contre leur sœur, qui encore une fois aura tout saboté.

D'un point de vue médical, je peux évaluer si le voyage peut être fait seulement dans la semaine précédant le départ.

Je rencontre l'adolescente, procède à un bilan clinique et ne donne mon autorisation que si certaines conditions sont remplies : il faut que les signes vitaux soient bien stabilisés, c'est-à-dire que la patiente ait une tension artérielle d'au moins 90/60 et un rythme cardiaque de 60 battements et plus par minute. Il faut également que la perte de poids se soit arrêtée et que la patiente soit de préférence entrée dans la phase de la reprise pondérale et que celle-ci ne soit pas seulement due au désir de faire le voyage. Dans le cas où la patiente voyage seule, il faut être encore plus exigeant sur le plan des signes vitaux.

Si le voyage se révèle irréaliste et que je le refuse d'un point de vue médical, il importe de savoir que les compagnies d'assurances peuvent ne pas rembourser les frais du voyage annulé. Tout simplement parce que le problème médical existe déjà au moment des réservations. Les familles oublient parfois de déclarer que l'adolescente a un problème de santé sérieux. Est-ce un déni de la part des parents ou une confiance aveugle dans leur fille ? Enfin, je déconseille fortement tout voyage au cours des premier et deuxième actes de la maladie (sauf en cas de force majeure).

Je déconseille encore plus fermement de permettre à l'adolescente de voyager seule et pour une longue période comme dans le cadre d'un programme d'échanges d'étudiants. Il ne faut pas attribuer de vertus thérapeutiques aux voyages pendant les actes 1, 2 ou 3 de la maladie. J'ai très souvent vu des patientes partir seules en voyage pour quelques semaines et revenir dans un état catastrophique. Leur voyage se termine invariablement à l'hôpital avec le sentiment très profond d'avoir déçu leur famille. Certains parents m'ont même avoué ne pas avoir reconnu leur fille à l'aéroport tellement elle avait maigri durant son voyage.

Si, malgré mes recommandations et mon insistance, le voyage a lieu quand même, j'essaie alors de rencontrer les personnes responsables du projet, par exemple dans le cadre de voyages scolaires. Pour les autres genres de voyages, je suggère fortement aux parents et à la patiente d'informer les futurs hôtes de sa maladie afin d'éviter les situations embarrassantes. Il m'est arrivé plusieurs fois de devoir faire face à ce genre de problème. Le cas typique est celui d'une jeune fille étrangère qui arrive à Montréal pour y accomplir un stage d'une année. Après quelques semaines de cohabitation, la famille d'accueil découvre que l'adolescente souffre d'un trouble de la conduite alimentaire ; l'anorexie peut refaire surface au cours de ce séjour, et les vomissements réapparaître même si le problème semblait réglé. Ces situations sont toujours très troublantes pour la famille d'accueil, qui se demande aussitôt si le problème ne viendrait pas d'elle. Quelques semaines plus tard, et après avoir modifié certaines de ses habitudes, la famille constate que le problème alimentaire persiste et même s'amplifie. La famille finit alors par prendre un rendez-vous avec moi à la clinique.

Autant que je me souvienne, les jeunes filles étrangères anorexiques que j'ai connues ont toujours très bien collaboré. Elles reconnaissaient qu'elles n'avaient pas signalé leur problème de conduite alimentaire avant leur arrivée. L'agence de placement qui s'était occupée de leur trouver une famille d'accueil, s'estimant trompée, prend généralement la décision de les ramener dans leur pays d'origine. Triste dénouement pour elles. J'ai pu dans certains cas infléchir la décision de l'agence en m'engageant à suivre étroitement la jeune fille jusqu'à la fin de son stage. Mais le cas est rare, les agences de placement ne pardonnant ni le mensonge ni le déni.

Bien que mes recommandations et mes conseils relèvent de l'évidence médicale, ils ne sont pas toujours suivis. Certaines de mes patientes en sont à leur troisième voyage saboté, sinon plus. Je suis stupéfait de constater que leurs parents, pourtant sensés et bien informés, répètent les mêmes erreurs année après année sans tirer une leçon de leurs expériences passées. Mon message ne passe tout simplement pas. Peut-être dois-je revoir ma stratégie de communication !

Le temps des fêtes

Les fêtes représentent une autre source de grandes tensions. La période de Noël et du Nouvel An, dédiée aux retrouvailles familiales, aux sorties et aux repas avec les amis, expose à un grand stress l'adolescente anorexique.

Le stress commence en réalité durant la période des examens scolaires qui précède les vacances de Noël. La patiente qui a fait de son mieux pour maintenir son niveau d'excellence doit maintenant faire face à ce qu'elle redoute le plus : la socialisation familiale. Elle sait pertinemment qu'elle sera l'objet de regards pas toujours discrets et de commentaires multiples. Mes patientes vivent cela lorsqu'elles se trouvent en société, et c'est sans doute pire pour elles puisqu'elles ont affaire à la famille.

La jeune anorexique se tient à distance des autres parce qu'elle se sent peu à son aise dans une situation sociale imposée. À Noël, elle a hâte que tout soit terminé. Heureusement, elle n'est pas toujours au courant de tout ce qui s'est dit contre elle, de toutes les remarques ou de tous les conseils adressés à sa mère, car il y a toujours un oncle, une tante ou quelqu'un d'autre qui sait pourquoi la pauvre enfant est malade et comment la soigner. Ces mots souvent inutiles ne font qu'augmenter le chagrin de la mère qui se sent encore plus incompétente. Évidemment, puisque c'est Noël, il y a abondance de nourriture à table, les repas sont copieux et bien arrosés, ce qui déprime complètement la jeune fille.

On m'assure que je suis le seul médecin dont les patientes perdent du poids durant cette période de l'année ! J'ai interprété ce syndrome d'amaigrissement du temps des fêtes à une adaptation prévisible des adolescentes qui, prévoyant les sorties et les repas à rallonges, font une « réserve de minceur » pour le cas où elles commettraient des excès de table. Ce qui n'arrive jamais.

Pour réduire le stress de cette période des fêtes, les patientes et leurs parents ne manquent pas de solutions. Je me souviens en particulier d'Alice, une patiente qui avait eu l'idée ingénieuse de répondre à tous les appels téléphoniques à la maison et de décliner les invitations de Noël en disant que la famille était déjà prise. Elle agissait, bien entendu, à l'insu de ses parents. La mère qui ne se doutait de rien voyait dans le silence de sa famille une marque d'attention et de délicatesse envers les siens, étant donné la maladie de leur fille anorexique. Jusqu'à ce qu'elle découvre le pot aux roses. Trop tard, on était au milieu de janvier et les fêtes étaient passées.

Autre cas d'adaptation, Mélanie, pour qui la période des fêtes était un calvaire, passait les soirées de fêtes familiales dans une chambre d'hôtel que ses parents lui réservaient ; elle pouvait ainsi s'isoler et échapper aux regards curieux de son entourage. À chacune sa façon de s'accommoder du temps des fêtes.

Le bal de fin d'année

Une autre occasion de réjouissances qui souvent n'en est pas une pour l'adolescente anorexique est le bal des finissants, tant attendu par tous les élèves au Québec. Depuis environ une vingtaine d'années, le bal des finissants du cycle du secondaire est devenu un événement de première importance. Un comité d'élèves s'attelle à la tâche dès le début de la dernière année scolaire. La préparation de l'événement s'échelonne sur une année entière avec pour point culminant le bal au mois de juin, qui est suivi d'un après-bal dont l'organisation requiert elle aussi beaucoup de temps.

Pour le bal, les filles s'apprêtent, se maquillent, se coiffent, se font les ongles, de vraies princesses. Le choix de la robe est une affaire épineuse ; elles y pensent depuis au moins un an. Je dis souvent à mes patientes de faire attention dans le choix de la taille de leur robe, car elles doivent garder à l'esprit qu'une reprise pondérale peut survenir entre le moment où elles l'achètent et celui où elles la porteront. Il faut prévoir, selon les cas, une taille ou deux de différence. J'aime leur répéter que je suis le seul médecin dont les patientes peuvent se rendre au bal de finissants du secondaire (elles ont alors seize ans) avec leur robe de première communion ! Parfois, je pense que nous devrions retenir les services d'une couturière pour cette semaine de bal...

Autre difficulté majeure, cette cérémonie implique une relation relativement étroite avec un garçon puisque la plupart des participantes y iront accompagnées. Pour mes patientes, cela représente un grand défi. Hyposexuées en raison de leur maladie, elles ont déjà beaucoup de mal à nouer des liens avec des adolescentes de leur âge, à plus forte raison avec des garçons. Il ne leur est donc pas facile de choisir ou de se trouver un compagnon pour le bal.

Autre cause de malaise, le bal est aussi un rite de passage du secondaire vers les études préuniversitaires, cela correspond à la fin de l'adolescence pour l'ensemble des élèves. Mes patientes, qui n'ont pas atteint cette étape de leur développement, n'auront donc pas autant de plaisir que les autres à célébrer cet événement. Il faut alors les rassurer et les inciter à rester elles-mêmes, quitte à leur conseiller de ne pas y participer. Ce qu'elles font souvent de toute façon puisque aucune robe de bal ne leur sied.

Plusieurs anorexiques sous le même toit

Il arrive souvent qu'il y ait plusieurs cas d'anorexie dans la même famille. La mère a déjà été anorexique et en a gardé des séquelles, ou les deux sœurs sont anorexiques au même moment ou l'une des deux l'a déjà été. Il existe aussi des situations bien singulières où deux sœurs jumelles souffrent de la maladie en même temps.

La mère qui a déjà été anorexique se sentira très coupable d'avoir transmis son problème, visible ou inapparent, à sa fille. Sa peine et son désarroi en seront décuplés.

Comment a-t-elle pu transmettre à son insu sa maladie à sa propre enfant ? Si son problème est ancien et si elle ne l'a jamais dévoilé, le stress qu'elle subit l'amènera tôt ou tard à révéler son secret à sa fille et à son mari, qui en sera consterné. Ce sera pour elle une mise à nue difficile à assumer.

Je me demande toujours s'il est nécessaire de dévoiler un tel secret à ce moment précis de la maladie. La mère se fragilise en croyant bien faire et espère que son aveu aidera sa fille à sortir de son impasse. Cependant, si la mère y trouve un certain soulagement, l'adolescente demeure souvent impassible, voire indifférente. Il faut dire que pendant les premier et deuxième actes de la maladie les jeunes filles ne se laissent atteindre que par bien peu de choses, et une telle révélation ne les touche souvent pas. À ce stade, elles ont besoin de rester fortes et en contrôle, quelles que soient les circonstances. Ce n'est que plus tard que l'adolescente cherchera à comprendre sa mère ou à se comparer à elle.

Si la mère souffre encore d'anorexie, une rivalité (c'est à celle qui sera la plus mince) les opposera et l'adolescente fera tout pour l'emporter. Si elle n'y parvient pas, elle sera profondément déçue et lui en voudra énormément. Cela peut aller jusqu'à la haïr et la blâmer sans cesse. La jeune fille a même parfois recours à la violence. Inévitablement, la mère et sa fille se blessent mutuellement et, vu leur souffrance, un arbitrage s'impose. Il faut alors agir avec discrétion et simplicité. Dans des situations dramatiques comme celle-là, j'avoue que je suis souvent envahi par le doute, soucieux de trouver la meilleure façon d'agir. Ces situations sont également éprouvantes pour les membres de l'équipe de soins.

Habituellement la rivalité fille-mère dure longtemps, mais elle sera d'intensité variable. Il faudra attendre que l'adolescente quitte la maison pour que le climat se détende, la distance mise entre la mère et sa fille étant bénéfique à chacune. Cependant, je n'irais pas jusqu'à conseiller la séparation, les deux ayant tout de même besoin l'une de l'autre. Dans ce genre de cas, le temps est notre meilleur allié.

Lorsque l'anorexie touche deux sœurs, il y a également beaucoup de tensions et de conflits. Celle dont l'anorexie est soignée ou est en voie de disparaître sera fâchée de voir que sa sœur lui vole sa maladie. L'anorexie était son exclusivité, elle n'apprécie pas le fait que quelqu'un lui ôte ce privilège. Il faut s'attendre à des échanges verbaux animés, voire acrimonieux. L'ancienne anorexique est donc délogée du sommet du podium et elle sait qu'il lui sera impossible de retrouver sa place, car sa sœur excelle dans le contrôle de la restriction alimentaire. Là aussi un arbitrage s'impose, et ce seront les parents qui devront le plus souvent l'assurer. Pendant un certain temps, la jeune fille ayant déjà souffert d'anorexie éprouvera tout de même un sentiment de tristesse et de culpabilité, comme si elle avait contaminé sa sœur à son insu. Dans de telles situations, plusieurs choisiront de se séparer afin de se protéger. Autrement, la rivalité – le trait distinctif de cette maladie – risque d'augmenter et d'éclater au grand jour, et ce sera à qui restera le plus longtemps anorexique.

Lorsque les sœurs sont jumelles et qu'elles souffrent en même temps de la maladie, c'est la catastrophe. Les deux luttent pour la première place, une rivalité de tous les instants, sans repos ni trêve. Si, de surcroît, elles n'ont pas encore trouvé chacune leur identité propre, une identité qui les distingue l'une de l'autre, et si l'anorexie est leur seule raison de vivre, aucune ne pourra tolérer la présence et les succès de l'autre. Chercher à les séparer est une tâche à peu près impossible, elles sont liées indissolublement par la maladie et la rivalité. Chacune veut déloger l'autre et chacune a besoin de l'autre. Des moments de grande violence et de disputes alternent constamment avec des moments de tendresse et d'affection. Et cela dure longtemps. C'est une situation particulièrement éprouvante pour les parents.

En ce qui concerne les soins cliniques, la question de savoir si les jumelles doivent être traitées ensemble ou séparément et par les mêmes intervenants ou non se pose toujours. J'ai, quant à moi, l'habitude de les soigner toutes les deux, mais en les voyant séparément. Toutefois, il est à mon avis nécessaire de les rencontrer ensemble de temps en temps puisque, de toute façon, en consultation individuelle, l'une parle toujours de l'autre. Par contre, il est indispensable qu'elles voient un psychologue différent.

Si les parents sortent anéantis d'une telle expérience, il n'en va pas de même pour les filles. Il est surprenant de voir que, malgré tant de querelles, elles parviennent à s'individualiser. C'est comme si elles avaient eu besoin de ce rapprochement dans la maladie pour arriver à se détacher l'une de l'autre.

Ayant moi-même un jumeau identique, je suis bien placé pour comprendre la problématique de la quête identitaire et de l'individualisation, même si mon frère et moi n'avons pas vécu de conflits de rivalité. Au contraire, notre gémellité a toujours été – et l'est encore aujourd'hui – plutôt source de complicité, d'amusement et de fierté. Peut-être que le simple geste de m'avoir différencié de mon frère dès la naissance par un ruban bleu autour du poignet, signe qui montre bien que nos parents tenaient à nous distinguer toujours l'un de l'autre, m'a protégé de la confusion identitaire. Mettant en présence deux êtres identiques, pluriels et singuliers à la fois, la gémellité est aussi une chance et une richesse. C'est ce que je tente toujours de montrer à mes patientes en m'appuyant sur ma propre expérience. Mais les tensions entre elles sont tellement fortes, leur besoin de se distancier et de se rapprocher mobilise tellement d'énergie que transformer leur gémellité destructrice et soigner leur anorexie constitue une tâche titanesque.

L'impact financier imprévu

Je souhaite revenir ici sur un aspect de la maladie que j'ai simplement mentionné dans le chapitre 7 et qui a rapport avec les répercussions économiques de la maladie sur le budget familial. Cet aspect pratique est rarement abordé dans la littérature, mais il mérite qu'on s'y attarde un moment, car l'anorexie coûte cher.

Tout d'abord, comme je l'ai déjà mentionné, à cause des nombreuses consultations auxquelles ils doivent se rendre, les parents épuisent vite leur stock de jours de congés de maladie et ils doivent se résoudre souvent à prendre des congés à leurs frais pour accompagner leur fille à ses rendez-vous en clinique externe. Cela représente donc un manque à gagner et souvent l'abandon d'une carrière prometteuse. Mentionnons aussi les nombreux déplacements en voiture, parfois longs pour les familles habitant à l'extérieur de l'île de Montréal, et les frais que cela occasionne.

Heureusement, du point de vue scolaire, les adolescentes du secondaire réussissent leurs études et n'ont pas besoin d'un rattrapage scolaire coûteux. Elles n'ont qu'à se rendre en classe une seule semaine dans l'année pour être assurées d'être acceptées au niveau supérieur ! Il n'en va pas de même pour les étudiantes inscrites au collège qui peuvent perdre souvent un, deux ou trois trimestres à cause de leur maladie, ce qui représente des frais appréciables à long terme.

Mais tout cela n'est rien comparativement aux coûts qu'engendrent les fringales sans fin et les vomissements à répétition. Même lorsque la situation médicale est maîtrisée, toute la paie d'un des parents sert à payer la nourriture. Il se peut aussi que la patiente vole la carte de crédit d'un de ses parents et se livre à de folles dépenses.

De plus, si la patiente ne peut trouver de la nourriture en quantité suffisante chez elle, elle ira s'en procurer ailleurs. Cela peut l'amener à voler ou, si elle habite avec des colocataires, à dévaliser leurs placards. L'épisode de boulimie peut durer longtemps ; la situation paraît alors complètement bloquée, personne ne sachant comment mettre de l'ordre dans un tel chaos. La solution consiste alors à trouver avec l'adolescente une manière de gérer la situation sans trop la brimer. Sa collaboration sera déterminante pour la guérison.

Si de plus la patiente utilise les laxatifs, ce sont des quantités phénoménales qu'elle devra acheter chaque jour, ce qui grèvera le budget à la longue. Plus le manque d'argent et de nourriture se fera sentir, plus le stress de la patiente augmentera, ce qui entraînera d'autres fringales et d'autres vomissements. Ce cercle infernal ressemble en tout point à celui des toxicomanes.

Les problèmes d'argent sont assez rarement abordés spontanément par les parents et les patientes. Il faut donc mettre nous-mêmes le sujet sur le tapis et leur expliquer que l'épisode de boulimie fait partie de la maladie et qu'il engendre malheureusement un grand chaos sur le plan pécuniaire. Les parents sont généralement soulagés d'apprendre que l'épisode a une fin, mais ils continuent de se demander quand leurs finances pourront être redressées.

Le passage à l'âge adulte

Le passage à l'âge adulte, qui implique un transfert en milieu thérapeutique adulte, constitue un enjeu à tel point important pour les adolescentes anorexiques que je me dois de m'attarder ici sur le sujet.

J'ai eu maintes fois l'occasion au cours de ma carrière de préparer des adolescents porteurs d'une maladie chronique en vue de leur transfert dans un milieu médical pour adultes. J'ai beaucoup appris en préparant notamment des diabétiques à faire la transition. La maladie était bien connue, et il m'était donc assez facile de trouver d'autres centres hospitaliers à Montréal ou dans les environs disposés à accueillir mes patients. Ce qui distinguait mes patients des adultes diabétiques, c'était l'âge précoce auquel ils étaient devenus diabétiques et donc souvent leur relative insouciance face à leur maladie. Ils avaient pour la plupart eu de la difficulté à accepter leur diabète et ils y avaient fréquemment réagi en « déséquilibrant » leur état diabétique. Mettant leur vie en danger, ils tombaient souvent dans un coma diabétique. Arrivés à l'âge de leur transfert en milieu adulte, ils s'étaient en général assagis, mais j'avais quand même dû accepter que leur contrôle du diabète ne soit pas toujours optimal durant leur suivi. Si je n'avais pas de réelles difficultés à trouver preneur en milieu adulte, le premier entretien dans leur nouvel environnement médical prenait toujours l'allure d'une remise à l'ordre : on ne manquait pas de les informer que désormais leur suivi serait différent et que le contrôle de leur diabète devrait immédiatement s'améliorer. De toute évidence, mes patients ne bénéficiaient plus du même soutien qu'en médecine de l'adolescence où leur accompagnement thérapeutique prenait en compte leur développement et leur âge.

Fort de cette expérience, j'ai pensé que le transfert de mes patientes anorexiques en milieu adulte se passerait de la même façon. Je me suis totalement trompé. Tout d'abord parce que les structures d'accueil des adultes anorexiques sont rares. La seule structure bien organisée à Montréal se trouve dans un hôpital psychiatrique anglophone dont le personnel parle toutefois français. Ce programme médical qui offre toute une panoplie de services est très prisé. Pour être admise à le suivre, la patiente doit démontrer une forte motivation. Comme le délai d'attente entre la demande de prise en charge et le premier rendez-vous varie entre six et neuf mois, la demande de transfert doit donc être faite dès que l'adolescente fête ses dix-sept ans. Or, à cet âge, nos patientes prévoient le plus souvent ne plus avoir besoin de soins thérapeutiques et se montrent peu ouvertes à notre suggestion de transfert. Pour elles, dix-huit ans est l'âge de la majorité, elles se réjouissent à l'idée de cesser tous ces traitements dont elles sont lasses et qu'elles suivent pour obéir à leurs parents. Nous avons alors le devoir de les convaincre de continuer à consulter en milieu adulte, de préparer la transition et de les accompagner. Pour ce faire, j'écris une lettre résumant leur dossier et je l'adresse au responsable du programme pour adultes. Après la réception de cette lettre, l'un des soignants du programme communique avec mes patientes, et les transferts, qui prendront quelques mois pour se concrétiser, s'enclenchent. Je continue à suivre les patientes durant ce cheminement afin qu'elles ne soient jamais abandonnées par le corps médical.

En arrivant dans le milieu thérapeutique adulte, les patientes subissent une série de chocs qui ne les rendent pas toujours heureuses. Le premier consiste à accepter d'être les plus jeunes alors qu'elles étaient les aînées à Sainte-Justine. Elles doivent côtoyer des patientes plus âgées qui souffrent parfois de plusieurs troubles (comorbidité). Deuxième choc, elles découvrent que l'anorexie à l'âge adulte est beaucoup plus complexe et difficile à soigner. Troisième choc, celui-là positif, elles jouissent d'une plus grande liberté puisque désormais les parents ne sont plus là pour donner leur opinion ou pour faire des demandes.

Bien que je m'efforce de leur présenter ce nouveau milieu de soins sous son meilleur jour et que j'insiste pour qu'elles demandent leur admission, plusieurs patientes refusent d'y aller. Paradoxalement, ce sont celles qui éprouvent le plus de difficultés qui refusent. Les cas ne sont pas rares : ainsi, j'ai récemment conseillé à huit patientes de poursuivre leurs soins en milieu adulte et elles ont toutes refusé. C'est un stress considérable pour nous, car nous ne souhaitons pas les laisser sans suivi médical. Mais que faire ?

Quant aux parents, le choc est d'importance parce que leur fille est libre de refuser l'aide qu'on lui propose, qu'ils sont tenus à l'écart des décisions et qu'ils ne peuvent plus communiquer avec l'équipe de soins.

Le passage en milieu médical adulte peut donc marquer la fin du suivi médical pour nombre d'adolescentes anorexiques. Heureusement, certaines réussiront malgré tout à se tirer d'affaire seules ou en consultant d'autres structures qui leur conviennent mieux. Mais, d'autres plongeront dans l'errance et, faute de soins, souffriront d'un état qui se dégradera sans que l'on puisse intervenir. Je suis d'autant plus inquiet pour ces dernières que les études sur la mortalité indiquent que le passage de la vingtaine à la trentaine peut être périlleux lorsque l'anorexie se poursuit au-delà de la période de l'adolescence.

Le cas des anorexiques prépubères

Dans la majorité des cas, l'anorexie se déclare à l'adolescence vers quatorze ans et les jeunes filles sont alors déjà menstruées, mais il arrive que des enfants soient touchées par la maladie dès l'âge de huit ou neuf ans. Ces cas d'anorexiques prépubères sont peu nombreux, mais très difficiles à soigner. Plus la maladie se sera déclarée tôt, plus il faudra du temps pour la faire disparaître.

Bien que je sois spécialisé en médecine de l'adolescence, j'ai été obligé d'ouvrir ma clinique aux jeunes prépubères, car personne dans le milieu médical ne semblait disposé à les prendre en charge. Quand elles arrivent à l'hôpital, leur anorexie est souvent déjà déclarée depuis un certain temps. Elles sont aux prises avec une telle restriction alimentaire qu'elles sont sourdes à tous nos discours. Impossible de les persuader même en leur faisant part de nos préoccupations concernant leur développement et leur croissance. Cela peut se comprendre, car c'est justement parce qu'elles ne veulent pas grandir et voir leur corps se transformer qu'elles deviennent anorexiques. Notre inquiétude, au lieu de les alerter, a pour seul effet de les renforcer dans leur conviction qu'elles sont capables de « figer le temps » et de se rendre malades.

Ces jeunes patientes ont donc une force considérable. Elles épuisent rapidement tous les membres de leur famille et ceux de l'équipe traitante avec une aisance sans pareille ; elles sèment la discorde partout où elles passent, en particulier au sein de leur famille, surtout si les parents sont séparés. Plus elles sont jeunes et fragiles, plus leur force de destruction est grande.

Comme pour les autres anorexiques adolescentes, le lien de confiance et la patience seront les meilleurs remèdes. Cependant, une relation de confiance sera beaucoup plus difficile et longue à établir avec elles, car elles se méfient beaucoup de nous et de nos interventions. J'ai pu dans certains cas entrer en contact avec elles à travers le jeu et ainsi faire passer quelques messages simples, mais cela ne marche pas à tout coup. La relation reste fragile, le lien ténu. Comme elles sont impulsives et imprévisibles, il faut rester toujours très vigilant et être capable de repartir de zéro en cas de rechute.

Autre complication : étant donné qu'elles sont difficiles à soigner, elles sont souvent dirigées vers un service de pédopsychiatrie où elles subissent en général de longues et interminables hospitalisations qui les privent d'une vie sociale normale et les marginalisent encore plus. Leur traitement médicamenteux est souvent lourd. Elles prennent une panoplie de médicaments de toutes sortes qui n'exercent un effet que moyennant une augmentation progressive des doses, ce qui les rend encore plus dysfonctionnelles et aggrave leur problème d'anorexie. Triste constat. Il faut dire que les parents de ces jeunes patientes sont souvent impatients de voir leur fille guérir et sont prêts à tout faire pour hâter le rétablissement. J'ai souvent beaucoup de mal à gagner leur confiance et à leur faire admettre que plusieurs hospitalisations de courte durée chez nous sont préférables à de longs et interminables séjours en psychiatrie.

Comprendre que le temps et le lien thérapeutique sont les meilleures armes pour vaincre la maladie est en soi déjà difficile et, dans ce contexte où la croissance de l'enfant et son développement futur sont en jeu, c'est pire. Je comprends donc qu'il soit plus facile de s'en remettre à un protocole médicamenteux rassurant, mais, comme nous le verrons dans le chapitre suivant, l'anorexie ne se soigne pas avec des pilules.

CHAPITRE 11

Mon approche clinique

Ce chapitre est une synthèse de mon approche clinique. Sur quelles bases et quelles expériences mon approche est-elle fondée ? En quoi consiste-t-elle ? En quoi est-elle spécifique et différente de l'approche psychiatrique ? Que penser des méthodes coercitives encore bien implantées dans les structures d'accueil des anorexiques ?

Avant d'entrer dans le vif du sujet, je voudrais rappeler le contexte dans lequel j'ai commencé à m'occuper de patientes anorexiques en médecine de l'adolescence au Québec. Les jeunes filles anorexiques sont hospitalisées depuis 1974 dans l'unité de médecine de l'adolescence que j'ai fondée cette année-là au sein de l'hôpital Sainte-Justine. Une première dans le monde francophone à l'époque. Bien qu'admise dans mon unité, chaque patiente relevait du médecin traitant qui avait procédé à son hospitalisation. En tant que pédiatre attitré de cette unité, j'ai ainsi observé quotidiennement des dizaines de jeunes filles hospitalisées qui dans l'ensemble refusaient tous les protocoles de soins que leur médecin leur proposait. Elles l'exprimaient sans détour. Elles débranchaient elles-mêmes les perfusions que les infirmières leur avaient installées, elles diluaient les solutés et, en outre, elles déréglaient les pompes à perfusion qui se mettaient à retentir la nuit de manière répétitive... On trouvait aussi régulièrement des tubes à perfusion perforés qui laissaient échapper le liquide dans le lit. Elles donnaient également leur nourriture aux patients qui partageaient leur chambre. Leur résistance était explicite. Elles étaient habiles et radicales dans leur manière de refuser en bloc tout ce qui leur venait en aide d'un point de vue médical. Occupés à soigner les autres adolescents qui exigeaient et acceptaient nos soins, l'équipe médicale et moi-même avons vite compris que ces jeunes filles anorexiques nous lançaient un nouveau défi. Un type de patient jusque-là inconnu entrait dans notre quotidien.

La genèse de mon approche clinique

Ces patientes m'ont toujours plu par leur authenticité et leur volonté. Pour mieux les comprendre, je me suis mis à fouiller la littérature scientifique qui, à cette époque, provenait surtout du milieu de la psychiatrie. Le taux très élevé de décrochage des patientes que les études révélaient – il n'était pas rare de lire que plus de 50 % des patientes refusaient leur traitement – a immédiatement retenu mon attention. Comment ces jeunes filles en étaient-elles venues à abandonner délibérément leur suivi médical ? Pourquoi avaient-elles pris une telle décision ? Que devenaient-elles une fois lâchées dans la nature ? Les études ne mentionnaient rien à leur sujet et cela me tracassait. En côtoyant quotidiennement les jeunes filles anorexiques, j'ai vite compris qu'il faudrait faire preuve de beaucoup de patience pour établir avec elles un climat de confiance, une chose essentielle si nous ne voulions pas rencontrer les mêmes écueils que ceux qui sont décrits dans la littérature.

Comme je l'ai mentionné précédemment, le livre *Le Pavillon des enfants fous* de Valérie Valère publié en 1978 m'a également beaucoup interpellé. La lecture de son témoignage sur le traitement médical qu'elle a suivi en milieu psychiatrique pour enfants à Paris m'a apporté tous les éléments dont j'avais besoin pour travailler à l'établissement d'une structure qui fonctionnerait de manière radicalement opposée à ce qu'avait connu Valérie. Son livre constituait à mes yeux un contre-modèle très précieux.

En tant que pédiatre spécialisé en médecine de l'adolescence, une notion nouvelle à l'époque, j'ai eu beaucoup de chance de pouvoir commencer ma carrière dans un hôpital pédiatrique à vocation universitaire. Fort de mon expertise acquise à New York, j'ai pu, dès le départ, envisager l'anorexie d'un point de vue pédiatrique ; cette maladie est due, selon moi, à un trouble du développement survenant à l'adolescence et/ou à un trouble d'opposition particulier. En créant une unité réservée aux adolescents, je voulais pouvoir offrir aux jeunes filles un accès aux soins aussi large que possible et éviter à tout prix le décrochage.

Contrairement à plusieurs autres centres, j'ai refusé dès le départ d'établir un contrat de soins entre la patiente et moi. Je voulais seulement bâtir un environnement thérapeutique agréable dans lequel la patiente se sente à l'aise et respectée dans son individualité. Je tenais aussi à ce qu'elle maintienne de son propre chef un suivi médical en clinique externe après la fin de son hospitalisation. Je savais que la contraindre à se soigner ne servait à rien et que je devais plutôt faire en sorte qu'elle comprenne l'importance et l'urgence de sortir de sa maladie. Le lien établi avec elle et le temps sont ainsi devenus les éléments constitutifs de mon approche clinique.

J'ai toujours tenu aussi à ce que les traitements soient bien individualisés car malgré les nombreux points qu'elles ont en commun, les patientes sont fondamentalement différentes les unes des autres dans leur maladie. Chaque cas est unique, un traitement peut bien fonctionner pour l'une, et non pour l'autre. Je me méfie également des protocoles de soins qui peuvent enfermer le soignant dans une pratique sclérosante. Un jour que j'étais en stage à New York et que je discutais avec d'autres étudiants de l'établissement d'un protocole de soins pour l'asthme, le professeur responsable du secteur adolescence est intervenu et a ouvertement exprimé son désaccord ; il nous a expliqué qu'un protocole de soins tue la créativité et que, dans un hôpital universitaire, il était de notre devoir de toujours innover sur le plan thérapeutique. Pour lui, nous avions la mission de créer du savoir. Ce point de vue m'a fortement marqué. Depuis, j'évite d'y recourir bien que ce soit une pratique courante dans notre hôpital. Évidemment, je ne l'exclus pas lorsqu'il s'agit de projets de recherche.

Après tant d'années de pratique, je suis convaincu que cette approche est juste. La preuve en est que le pourcentage de fidélité aux rendez-vous en clinique externe dépasse 94 % depuis le début des années 1990. Ce chiffre montre bien que notre modèle thérapeutique est accepté par les adolescentes et plaît à leurs parents. Cependant, il n'a pas été facile

– c'est encore vrai aujourd'hui – d'écarter les multiples approches plus coercitives qui, j'en suis toujours autant persuadé, blessent les anorexiques plus qu'elles ne les aident.

La prise en charge des patientes anorexiques

Mon travail auprès des adolescentes anorexiques a débuté dans un cadre interne, c'est-à-dire dans un contexte d'hospitalisation, puis il s'est progressivement orienté vers des consultations en clinique externe et les soins en ambulatoire. Après avoir vécu une période d'ajustement et fait face à l'accueil enthousiaste de mes collègues médecins qui m'adressaient d'emblée leurs patientes, je me suis vite retrouvé en première ligne pour accueillir ces adolescentes et leurs parents.

Au début des années 1970 et 1980, les patientes étaient systématiquement hospitalisées. J'ai voulu lutter contre cette tendance et donner un sens à leur séjour à l'hôpital. Je voulais passer d'hospitalisations sauvages et forcées à des hospitalisations planifiées et acceptées, faisant partie d'un plan de soins discuté au préalable avec les adolescentes et leurs parents.

La prise en charge d'une nouvelle patiente commence donc en clinique externe. Je rappelle qu'il est nécessaire de raccourcir autant que possible l'intervalle entre le premier appel téléphonique et la première rencontre. Je recommande toujours aux parents d'accompagner leur fille à ce premier rendez-vous en clinique, quel que soit son âge. Comme je l'ai mentionné dans les chapitres précédents, la rencontre débute avec l'adolescente seule, puis je rencontre toujours dans un deuxième temps les parents en compagnie de la jeune fille. Nous procédons à un bilan médical et, selon les résultats, je propose immédiatement un plan de traitement qui pourra évidemment être modifié selon l'évolution clinique. Il y à alors trois possibilités : en médecine de l'adolescence, je propose soit l'hospitalisation, soit un suivi ambulatoire (clinique externe) ; ou je réfère en psychiatrie de l'adolescence d'emblée en cas de comorbidité sévère ou lorsqu'il y a épuisement ou insuffisance des services proposés par la médecine de l'adolescence. Voir à ce propos le schéma ci-dessous.

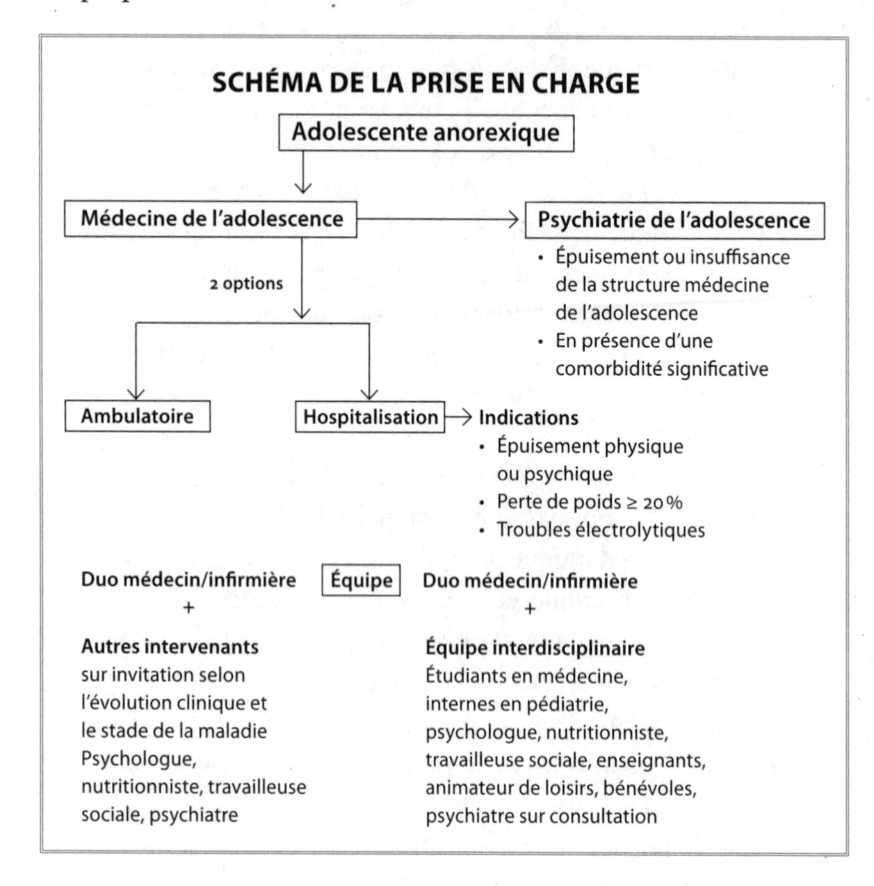

Le suivi médical en clinique interne (hospitalisation)

L'indication d'une hospitalisation repose sur des critères précis. Je pense qu'en présence d'un épuisement physique qui se manifeste par une dégradation significative des signes vitaux, par exemple, un rythme cardiaque inférieur à 50 battements par minute, ou d'un épuisement psychique (l'adolescente ne parvient plus à se concentrer et est incapable de fonctionner à l'école et de maintenir des relations sociales), ou en présence d'une perte de poids correspondant à plus de 20 % du poids préanorexie, un traitement en milieu hospitalier s'impose toujours. J'explique soigneusement la situation à l'adolescente afin qu'elle comprenne le sens que je donne à ce passage obligé. Puis, je fixe avec elle la date de l'hospitalisation.

Si son épuisement est manifeste, elle dira elle-même que cette décision la soulage parce qu'elle se sent débordée. Cela ne signifie pas pour autant qu'elle surmontera sa maladie, car sa résistance resurgira dès son admission dans l'unité. Dans les 48 premières heures, la patiente va communiquer avec ses parents et les prier de venir la chercher parce que l'hospitalisation lui paraît inutile, qu'elle a réfléchi, qu'elle a compris le sens de sa maladie, etc. Il faudra attendre quelques jours avant qu'elle se décide à se laisser soigner. C'est seulement une semaine après son hospitalisation que l'on commence à travailler avec elle. Elle a besoin de ce temps pour s'adapter; de notre côté, il nous faut aussi du temps pour l'apprivoiser.

L'hospitalisation a un effet paradoxal. Au début de son séjour à l'hôpital, la patiente se sent à la fois apaisée et renforcée dans son anorexie. C'est à ce moment que les parents et la patiente comprennent pourquoi l'hospitalisation sera longue; ils découvrent la complexité de la situation et la lutte intérieure que doit soutenir leur fille: une partie d'elle veut guérir et l'autre, très forte, résiste et met tout en œuvre pour conserver un sentiment de puissance à travers le contrôle de la maladie. Les intervenants doivent donc soigner quelqu'un qui veut et ne veut pas guérir.

Devant une telle ambivalence difficile à prendre en compte dans une unité hospitalière, il m'a paru nécessaire de faire montre d'une grande retenue. Alors qu'en tant que médecins et que membres de l'équipe de soins, nous sommes habitués à agir dans des situations d'urgence souvent dramatiques où la rapidité d'action compte beaucoup, nous devons agir auprès des anorexiques avec retenue même en cas d'extrême urgence. Sinon, nous prenons le risque de leur nuire.

L'équipe de soins en clinique interne

L'infirmière joue un rôle de premier plan au sein de l'équipe d'intervenants qui s'occupe quotidiennement des jeunes filles anorexiques à l'hôpital. Selon moi, elle est leur interlocutrice principale.

En tant que médecin, je rends systématiquement visite à mes patientes chaque jour, afin d'exercer sur elles une surveillance médicale conjointement avec l'infirmière. Je les revois éventuellement en fin de journée, avant de quitter l'hôpital; au cours de cette seconde visite, plus informelle, je ne fais rien de particulier sur le plan médical, je reste un moment en leur compagnie pour échanger quelques mots, prendre de leurs nouvelles, parler de tout et de rien. Cela peut paraître anodin, mais j'obtiens ainsi beaucoup d'informations sur l'état général des patientes, leurs craintes, leurs peines de la journée, leurs interrogations, etc. C'est toujours très instructif et cela me permet d'établir avec elles une relation un peu plus étroite.

Ces échanges de fin de journée ont toujours été importants pour les patientes comme pour moi. Camille, une patiente âgée de 15 ans qui a été hospitalisée à plusieurs reprises, m'a écrit dans une lettre quelques années plus tard à quel point elle avait apprécié ces moments.

« Vous savez ce que j'ai apprécié en particulier avec vous, c'est lorsque vous veniez vous asseoir sur mon lit en fin de journée pour discuter avec moi. Là, j'avais vraiment l'impression d'exister et je sentais que vous preniez soin de moi. Merci. »

J'ai l'habitude de recourir aux soins d'un psychologue un peu plus tard dans le suivi médical. En ce qui concerne la nutritionniste, je faisais appel au début de ma pratique à ses services dès la prise en charge de la patiente, mais l'expérience m'a montré que cela n'est pas toujours indiqué. L'adolescente peut en effet se servir des informations nutritionnelles pour mieux contrôler sa restriction alimentaire. Il est donc essentiel que la nutritionniste sache informer de manière efficace et comprenne que les informations transmises peuvent être détournées de leur objectif.

Je me souviens de Karine, une patiente qui avait séjourné dans notre unité plusieurs mois au cours de son adolescence. Un jour, alors qu'elle était étudiante en médecine et qu'elle faisait un stage avec moi, je l'ai questionnée sur les soins qu'elle avait reçus chez nous. À la question de savoir ce qui l'avait le plus aidée dans le suivi médical, Karine a donné une réponse tout à fait inattendue. La décision que j'avais prise (avec son accord) de l'envoyer chez son grand-père pour la période de Noël était ce que j'avais fait de mieux pour elle. Je me souviens : c'était la veille de Noël et je lui avais exprimé mon souhait de la voir passer les fêtes ailleurs qu'à l'hôpital. Elle avait alors formulé le désir de rendre visite à son grand-père. Qui aurait pu prédire que ce séjour l'aiderait à sortir de la maladie ? En avait-elle conscience elle-même ?

Je pense que mes visites informelles aux patientes en fin de journée et que mes décisions qui parfois vont à l'encontre des plans de soins et heurtent les intervenants ressemblent justement aux gestes bienveillants d'un grand-père. J'ai toujours considéré comme primordial dans les soins à fournir à ces patientes de réserver du temps pour des échanges, des paroles et des gestes simples et gratuits, sans rien attendre en retour.

À chaque unité ses spécificités

En tant que pédiatre spécialisé en médecine de l'adolescence, je pense que notre unité de soins doit être différente d'une unité de soins psychiatriques et posséder ses propres particularités.

À l'hôpital Sainte-Justine, nous avons deux unités de soins dédiées aux adolescents, l'une spécialisée en pédiatrie et l'autre en psychiatrie. À une certaine époque, les deux unités se complétaient presque parfaitement l'une l'autre ; les patientes anorexiques étaient les premières à en tirer profit.

Nous choisissions délibérément d'admettre les patientes d'abord en médecine de l'adolescence et, au bout d'une période de six à huit semaines, nous déterminions si un transfert en psychiatrie était approprié pour la suite du traitement. Le plus souvent, nous gardions les patientes en pédiatrie, mais nous avions la possibilité de recourir à la psychiatrie en cas de besoin. Les deux unités étaient bien distinctes, tant du point de vue des soins que de la composition de l'équipe médicale. Ce mode d'organisation avait des avantages incontestables.

Malheureusement, de mauvaises décisions, dues à mon avis à des choix administratifs douteux, sont venues bouleverser cet équilibre et priver nos deux unités de soins de leurs spécificités. En effet, au cours des dernières années, l'environnement hospitalier a changé, les infirmières sont aujourd'hui moins nombreuses et leur recrutement est difficile. Elles s'occupent de manière prioritaire des malades requérant des soins plus constants et plus techniques que nos anorexiques et sont peu à peu remplacées par une nouvelle catégorie d'intervenants moins chers en termes de rémunération, les psychoéducatrices – des femmes pour la plupart. D'après mon expérience, leur présence, qui nous a été imposée, devrait être réservée au milieu psychiatrique où elles seraient plus utiles ; dans notre unité de soins, il serait en revanche bénéfique de disposer d'un plus grand nombre d'infirmières, de psychologues, d'ergothérapeutes et d'animateurs. Mon opinion à ce sujet est très claire et procède d'une longue expérience dans le traitement d'adolescentes anorexiques. Je suis en effet celui qui a soigné le plus de ces patientes au Québec et probablement aussi dans tout le Canada depuis les trente dernières années.

Ce que je reproche principalement à l'approche de type psychoéducatif est qu'elle cherche, par le moyen du contrôle, à faire disparaître certains symptômes de la maladie. Or les symptômes ont un sens et sont utiles dans la maladie, de sorte que si l'on cherche à les faire disparaître, on prend le risque d'aggraver la situation. Par exemple, l'hyperactivité de l'anorexique ne doit pas être interprétée comme une activité uniquement destinée à brûler les calories ingérées. Nous savons en effet qu'il existe un effet d'effritement de l'os en raison entre autres de la baisse de production d'œstrogènes chez la patiente; l'activité musculosquelettique a un effet protecteur sur l'os et aide donc à compenser le risque d'effritement osseux. Il est vrai qu'on ne sait toujours pas quand l'hyperactivité devient une manifestation pathologique plutôt qu'une manifestation d'adaptation de l'organisme. Mais empêcher un processus d'adaptation ou de compensation de jouer son rôle pose un problème. De ce fait, toute action visant à contrôler l'hyperactivité des jeunes filles anorexiques est finalement nuisible. C'est aussi absurde que de vouloir limiter le nombre de quintes de toux chez un asthmatique en pleine crise.

Le piège des contrats et des objectifs

Dans les centres de traitement pour anorexiques, l'équipe médicale établit souvent avec la patiente un contrat de soins et s'emploie à lui donner des objectifs correspondant à ses attentes médicales. Malheureusement ces objectifs sont carrément rejetés par cette dernière, même si initialement elle a paru y adhérer. Se sentant piégée, elle a voulu donner l'impression qu'elle était prête à collaborer, mais en réalité elle est prête à livrer un farouche combat contre l'équipe de soins et à le gagner coûte que coûte. C'est ce qui explique pourquoi je prends le temps de lui expliquer clairement la situation avant d'évoquer « les objectifs » liés à son hospitalisation.

Personnellement, la première demande que je fais à la patiente consiste à s'accorder une pause, un *time out* comme dans le sport, pour réfléchir à son état, comprendre pourquoi elle s'est imposé une telle perte de poids et voir comment elle entend redresser la situation. Cela semble peu, mais c'est en réalité énorme, étant donné que le concept de pause lui est étranger depuis tant d'années.

Puis, j'établis avec elle un « plan de sortie » de l'anorexie qui comportera également plusieurs moments de pause dans sa thérapie. Je me souviens d'Isabelle, une patiente que j'hospitalisais pour une énième fois. J'étais au poste des infirmières à rédiger des notes et des prescriptions, elle est accourue vers moi, rouge de colère, et m'a demandé d'un ton rageur : « Bon, qu'est-ce que vous allez encore me prescrire ? » « Regarde, ma prescription est simple », ai-je répondu en écrivant devant elle « vie normale » sur sa fiche de prescription médicale. Elle était interloquée. Vie normale ? Elle s'attendait à tout sauf à cela. Elle a encore été plus déroutée quand je lui eus expliqué que le but de son hospitalisation était non pas de lui faire suivre tel ou tel traitement, mais de lui donner envie de vivre une vie normale d'adolescente. Isabelle a fini par guérir. Maman de deux petites filles, elle vient me saluer quand elle est de passage près de l'hôpital et elle ne cesse de répéter qu'il faut être patient avec les anorexiques, car ce sont elles qui décident du moment où elles donneront une autre orientation à leur vie. Un témoignage simple mais véridique, ô combien !

Il est certes facile d'imposer des objectifs ou de lier la patiente par un contrat de soins, mais il faut être conscient que, le plus souvent, nous nous piégeons nous-mêmes par notre fermeté et par notre obstination. En voulant bien faire, nous risquons de rompre le lien thérapeutique qui s'est établi entre elle et nous, et elle sortira perdante de cette partie de bras de fer. Un effet pervers, puisque toute notre attention et nos soins sont orientés vers sa guérison. Au risque de me répéter, il est plus facile de nuire à ces patientes que de les aider. Le triomphe de toute façon ne doit pas nous appartenir.

Les objectifs de reprise pondérale

L'acte 2 de la maladie, la période pendant laquelle la patiente requiert le plus souvent une ou plusieurs hospitalisations, est éprouvante pour les intervenants qui se sentent souvent impuissants et découragés devant l'immobilisme de la patiente. C'est l'époque de la surenchère sur le plan thérapeutique et en particulier sur le plan pondéral, comme si l'impuissance des intervenants devait à tout prix être compensée par une série d'actions et d'objectifs.

À peu près tous les centres qui accueillent des jeunes filles anorexiques intègrent dans leur programme de prise en charge un plan de reprise pondérale plus ou moins important et exigeant pour la patiente. Pour ma part, je suis tolérant et patient. J'accepte que la jeune fille puisse ne pas reprendre de poids à ce stade de sa maladie, ce qui suscite de vives critiques de la part d'autres intervenants. Malgré leur scepticisme, je continue à croire que les patientes ne doivent répondre à aucun objectif pondéral imposé par l'entourage médical, même si j'admets bien entendu qu'une reprise pondérale est nécessaire pour guérir de l'anorexie.

Récemment, j'ai demandé à Charlène, une patiente hospitalisée que je connaissais, mais dont je n'avais pas la charge, de calculer le nombre de kilos qu'elle avait gagnés et perdus depuis le traitement de sa maladie; une jeune fille à la trajectoire thérapeutique chaotique comme si tout avait pris une mauvaise tournure dès le départ. En effet, les séjours en psychiatrie, en médecine de l'adolescence, dans un autre hôpital et en centre d'accueil s'enchaînaient. Charlène a calculé qu'elle avait pris 55 kg et qu'elle en avait perdu 74 en deux ans. Au total, 129 kg. La gestion de l'entrée et de la sortie d'autant de kilos a dû exiger beaucoup d'énergie; quel stress pour un corps si fragile! Voilà le genre de résultat que nous obtenons avec nos objectifs de reprise pondérale qui ne tiennent pas compte de la réalité de la patiente et de son refus de coopérer. C'est selon moi une forme de violence que je trouve inutile. Personnellement, je préfère une reprise pondérale lente, progressive, échelonnée sur plusieurs mois, voire sur plusieurs années, plutôt que des reprises par à-coups qui ne sont soutenues par aucune motivation de la patiente, et qui, c'est prévisible, n'auront que des effets très éphémères. Il me semble que si, dans la reprise pondérale, on prend en compte les capacités de la patiente à assumer ses nouvelles formes, les dommages autant physiques que psychiques sont moindres à long terme.

Je crois que, durant l'hospitalisation, nous devrions limiter la reprise pondérale à 10 % du poids enregistré au moment de l'admission, du moins nous arrêter à ce chiffre à ce moment-là et décider par la suite avec l'adolescente s'il faut poursuivre l'hospitalisation ou pas. Il est absolument faux de croire qu'une patiente qui retrouverait un poids santé sous l'effet de la contrainte serait guérie comme par miracle. Cela constitue une approche manichéenne, dommageable à la patiente. Qu'il est difficile de faire admettre cette réalité à certains intervenants !

Je pense au contraire qu'une remontée du poids équivalente à 10 % du poids à l'admission doit s'accompagner en général d'une pause. Il faut bien que la patiente « digère » la remontée. Je me souviens que, à l'époque où je recevais beaucoup d'adolescents asthmatiques dans mon unité de soins, nous devions souvent faire face à une situation clinique qui exigeait de nous un ajustement pas toujours aisé à faire. Nous devions nous occuper de patientes qui recevaient un traitement de cortisone par voie intraveineuse. Au bout de trois ou quatre jours, ces dernières commençaient à subir les effets secondaires de cette médication qui faisait enfler leurs joues ou favorisait l'apparition d'acné. Elles venaient me voir et me disaient qu'elles allaient retirer leur soluté si je n'intervenais pas. De manière un peu équivalente, par leur inconfort digestif, les anorexiques nous indiquent qu'elles ont suffisamment coopéré pour le moment.

Malheureusement, certains intervenants sont encore persuadés qu'il suffit de motiver la patiente à atteindre son poids santé pour accroître son sentiment de bien-être et sa capacité d'introspection de façon à ce qu'elle puisse garder un niveau pondéral stable car satisfaisant. Ce serait merveilleux si cela correspondait à la réalité. Mais si les choses étaient aussi simples, nous n'aurions pas attendu plus d'un siècle depuis la première description de la maladie par le docteur Lasègue à la fin du XIXe siècle pour mettre en place une telle méthode. En réalité, n'en déplaise à ceux qui s'acharnent dans la voie d'une reprise pondérale forcée, l'expérience m'a enseigné que toute exigence formulée par l'équipe médicale est vaine. Selon moi, il est urgent de repenser en profondeur cette approche coercitive encore largement répandue dans le milieu médical.

Des activités créatives et sociales

Au cours de son hospitalisation, c'est le lien thérapeutique que la patiente établira avec l'intervenant de son choix – selon ses affinités et ses sentiments du moment – qui la marquera et l'aidera le plus. Un pas essentiel et déterminant. Je cherche personnellement à favoriser cette rencontre avec l'autre, quelle qu'elle soit, en créant des conditions favorables.

D'après mon expérience, les adolescentes anorexiques hospitalisées apprécient tout particulièrement les activités organisées spécialement pour elles. Parmi celles-ci, citons l'enseignement du français et des mathématiques, maintenu dans un cadre scolaire formel en milieu hospitalier; les patientes anorexiques qui excellent à l'école continuent à avoir de très bons résultats à l'hôpital; elles ont en général de l'estime pour les enseignants qui, de leur côté, aiment beaucoup les contacts qu'ils ont avec elles. Une bonne partie de la matinée se passe donc à l'« école ».

L'atelier d'écriture, animé bénévolement depuis de nombreuses années par une enseignante à la retraite, est une autre activité que les patientes goûtent particulièrement ; elles y développent leur créativité et y trouvent un mode d'expression salutaire.

Au début de ma pratique médicale, j'ai également aidé un animateur à mettre en place une activité de loisirs. Ce projet élaboré il y a plus de trente ans a eu beaucoup de succès auprès des patientes. Malheureusement, depuis une quinzaine d'années, cette activité a été peu à peu remplacée par d'autres projets conçus par les psychoéducatrices. Je souhaiterais que l'on revienne à un programme d'activités simples tel que ceux qui sont appliqués habituellement dans les centres de loisirs pour adolescents.

Si je critique le programme d'activités proposées par les psychoéducatrices, c'est que ces activités sont conçues toujours dans un esprit de contrôle des symptômes ou de la patiente elle-même, ce qui est pour moi une absurdité puisque l'anorexie est déjà une maladie du contrôle. Comment une maladie définie par le contrôle pourrait-elle prendre fin par le contrôle ? Comment une patiente enfermée dans son désir de contrôle peut-elle accepter de lâcher prise sous l'effet d'un contrôle ? Ce type de thérapie ne mène-t-il pas dans le cas de l'anorexie à un affrontement inévitable ? J'ai conscience que mes interrogations ne sont pas partagées par tous mais mon scepticisme reste entier.

Ainsi une activité consistant à rassembler les patientes anorexiques autour d'une table aux heures des repas facilite certes leur surveillance et leur contrôle, mais elles sont si différentes les unes des autres en raison de leur évolution personnelle que cette activité de groupe risque de leur nuire. Les rassembler ainsi à un moment aussi stratégique que le repas revient en quelque sorte à les mettre en compétition. Est-ce bien nécessaire ? Alors que manger doit redevenir pour elles une activité simple, apprise in utero, activité qui se manifeste dès la naissance par le réflexe archaïque de succion, les voilà maintenues dans un contexte de tensions où elles mangent sous haute surveillance. Puisque les autres patients hospitalisés prennent leur repas dans leur lit, pourquoi ne pas les servir elles aussi dans leur chambre ? Elles prendraient ainsi conscience qu'elles ont un statut de malades et qu'elles doivent participer à leur guérison.

Au lieu de vouloir contrôler la patiente par des activités psychoéducatives, je pense qu'il faut revenir à une approche toute simple qui consiste à accorder à l'adolescente anorexique, avec l'hospitalisation, une pause pour reconstituer ses forces et réfléchir au sens que revêt pour elle sa maladie. Individualiser les activités me paraît également important. Chaque patiente étant à une étape différente de sa maladie, l'application d'un protocole strict est à mon avis un non-sens.

Le suivi médical en clinique externe

La clinique externe est la structure qui accueille le plus grand nombre de patientes. Les services qu'elle offre aux anorexiques (psychologie, nutrition) y sont moins nombreux que nous le souhaiterions, nous avons donc peu de relais, si bien que le pôle médecin-infirmière est l'axe central du suivi thérapeutique.

Je l'ai déjà mentionné, les adolescentes sont fidèles à leur rendez-vous dans une proportion de plus de 94 %, ce qui est tout à fait remarquable. J'ai ainsi atteint un des objectifs que je m'étais fixés au début de mon action auprès des adolescentes anorexiques et qui était de faire mieux que les autres programmes qui affichaient un taux d'abandon de plus de 50 %. Ce taux de décrochage très bas est probablement dû à la façon que nous avons d'aborder les malades et la maladie : j'ai toujours pensé qu'il est de notre devoir de rendre notre science accessible en l'adaptant aux adolescentes anorexiques plutôt que de leur demander à elles de s'adapter à notre science.

La durée des rencontres en clinique externe est variable ; tantôt les rendez-vous durent seulement 10 ou 15 minutes, tantôt ils dépassent une heure. Je tiens à toujours prendre le temps nécessaire et à m'adapter à la situation. Parfois, les patientes n'ont pas grand-chose à dire pendant les rendez-vous, mais leur présence est déjà un élément positif sur le plan thérapeutique et je finis toujours par trouver un sujet de conversation qui les intéresse. Parfois aussi la patiente paraît complètement absente et amorphe. Elle pourrait alors venir nous voir, puis s'asseoir dans la salle d'attente, attendre une quinzaine de minutes et ensuite partir ; cela aurait peut-être le même effet. En réalité, même s'il ne se passe pas grand-chose, chaque rendez-vous est important pour la patiente. Vu la succession des rendez-vous à intervalles relativement rapprochés au début du suivi médical, il serait pour ainsi dire impossible de noter à chaque rencontre de véritables changements, d'autant que, comme nous le savons, ces derniers sont lents à se produire.

Quoi qu'il en soit, il ne faut pas courir le risque d'espacer les rendez-vous au début d'une prise en charge. Il est nécessaire d'accepter le vide apparent de ces rencontres. Je dois dire que l'infirmière et moi sommes passés maîtres dans l'art de parler de tout et de rien. Nous ne perdons cependant pas notre objectif et l'on finit toujours par aborder le sujet de l'anorexie avec l'adolescente et avec ses parents.

L'équipe de soins et les intervenants en clinique externe

Selon ma façon de voir, l'infirmière, l'adolescente et le médecin sont au centre de toute action et de toute décision, le médecin jouant le rôle principal. L'adolescente se sent alors en sécurité devant le duo médecin-infirmière qui veillera constamment à ajuster les prescriptions en fonction de sa réalité et de l'état d'esprit de ses parents. Elle comprend qu'ils sont là pour la soigner et pour la protéger. C'est ainsi que je conçois notre rôle auprès d'elle à Sainte-Justine; nous lui accordons le temps dont elle a besoin à chacune des visites.

Progressivement, nous introduisons auprès d'elle d'autres professionnels, tels qu'un psychologue. Nous choisissons le moment le plus opportun et faisons en sorte que le premier contact ait lieu dans les meilleures conditions possibles. Notre objectif est de susciter chez la patiente le désir d'entamer une thérapie, ce qui n'est pas toujours simple, principalement en raison du manque de disponibilité des psychologues et de la longue liste d'attente.

Pour faciliter les choses, nous veillons dans la mesure du possible à ce que les rencontres avec le psychologue précèdent ou suivent immédiatement les visites médicales. La durée de ces visites varie en fonction de l'état de la patiente et des besoins exprimés sur le moment. Pour maintenir l'intérêt de la patiente et l'encourager à jouer un rôle actif, il faut absolument que nos agendas soient flexibles et puissent s'adapter à sa situation, sinon l'adolescente peut se sentir frustrée et abandonner son suivi médical.

Après quelques rencontres avec un psychologue, il arrive souvent que l'adolescente, à bout de souffle, décide d'interrompre pendant un certain temps sa thérapie. Bien que sa progression nous paraisse lente, la thérapie a pu la bousculer et provoquer chez elle une attitude défensive. Une pause peut alors lui être bénéfique. Personnellement, j'ai toujours cru à la nécessité de marquer des temps d'arrêt dans une thérapie. Ces jeunes filles qui ont été coupées d'elles-mêmes pendant de longues années peuvent soudainement se sentir submergées par un flot d'émotions. « J'ai rien à dire, j'essaie pourtant mais je ne sais pas quoi dire », « j'en ai marre, ça sert à rien », « j'arrête pas de pleurer, je ressors de là encore plus mal qu'avant » : voilà des paroles qui reviennent souvent au sujet de la thérapie. Dans les situations de ce genre, j'accède toujours à la demande de pause formulée par la patiente, je l'encourage à aborder le sujet avec l'intervenante spécialisée et fais de mon mieux pour éviter une rupture de suivi.

En ce qui concerne les nutritionnistes (ce sont en général des femmes), je suis d'avis que les rencontres avec ces dernières sont bénéfiques mais je me demande encore à quel moment il conviendrait de les faire entrer dans le plan de soins. Souvent, au moment de leur première visite médicale, les patientes ont déjà rencontré un professionnel, et les parents affirment que cela n'a eu aucun effet sur la conduite alimentaire, que celle-ci s'est même aggravée. L'absence de résultats positifs n'a rien à voir avec la nutritionniste elle-même. Elle s'explique plutôt par le fait que la patiente s'efforce encore plus de contrôler son régime alimentaire et ses apports caloriques au quotidien. C'est un phénomène bien connu qui survient habituellement pendant les deux premiers actes de la maladie. Alors que, dans le contexte d'une hospitalisation, le recours aux soins d'une nutritionniste est souvent essentiel, les patientes en tirant un grand profit, nous faisons peu appel à ses services en clinique externe à cause d'un manque de ressources. Si nous avions les ressources nécessaires, je suggérerais d'y recourir principalement au cours de l'acte 3 de la maladie, c'est-à-dire au moment de la perte de contrôle alimentaire et du rétablissement pondéral.

Il est intéressant de noter que, dans les secteurs privé et public, des services spécialisés en nutrition sont proposés aux anorexiques et que les professionnels se présentent en général à la fois comme nutritionnistes et comme psychothérapeutes. Peut-être est-ce la preuve que le lien et les mots sont à la source de ce qui fonctionne le mieux dans les soins.

L'apport de la psychiatrie auprès des anorexiques

Le recours à un psychiatre est un sujet qui revient souvent dans ma pratique médicale. « Docteur, ma fille doit-elle voir un psychiatre ? » À cette question bien légitime et pertinente, je réponds toujours que la personne la mieux placée pour juger est la patiente elle-même. A-t-elle envie de voir un psychiatre ? Immanquablement, la réponse est négative. Alors que faire ? Lui imposer un traitement ? La forcer ? Il faut savoir qu'une fois la jeune fille dirigée vers la psychiatrie, un diagnostic est posé et un traitement pharmacologique est rapidement proposé. Cela est encore plus commun depuis une dizaine d'années, le marché de la pharmacologie s'étant largement développé.

Les adolescentes que je reçois en consultation ne veulent pas pour la plupart rencontrer de psychiatre et n'en ressentent pas le besoin. Celles qui en sont au premier ou au deuxième acte de leur maladie refusent de plus toute médication : elles estiment qu'elle fait intrusion dans leur monde intérieur et refusent d'en perdre le contrôle. Plus on les oblige à avaler des pilules, plus leur résistance s'accroît et, comme les traitements proposés ne donnent aucun résultat notable, on peut assister à une escalade dans les prescriptions. Les patientes qui arrivent dans mon service après un passage en psychiatrie suivent souvent un traitement qu'elles abandonneront d'elles-mêmes assez rapidement.

Personnellement, je suis convaincu que la thérapie par les mots convient mieux aux adolescentes anorexiques que la médication qui, de toute façon, est inefficace. En médecine de l'adolescence, l'infirmière, le médecin, la psychologue et la travailleuse sociale sont autant d'interlocuteurs possibles avec lesquels des liens étroits peuvent se tisser, des échanges s'effectuer, des confidences et des réflexions se livrer.

Les études scientifiques qui montrent que les médicaments ne fonctionnent pas avec les anorexiques sont de plus en plus nombreuses. Dans une conférence portant sur la psychopharmacologie et les troubles de la conduite alimentaire tenue à Stanford en octobre 2009, le professeur William Agras avouait que les résultats de la médication sont très décevants. «*It just doesn't work*», a-t-il dit en conclusion. Evelyn Attia et Neville Golden, dans un article publié en 2011, concluent qu'il n'existe pas de traitement pharmacologique reconnu pour l'anorexie mentale, et ce quel que soit l'âge de la patiente. Il y a quelques années, les patientes qui rencontraient leur médecin de famille avant de venir nous voir sortaient souvent du cabinet avec une ordonnance pour un antidépresseur. Heureusement, cette pratique est beaucoup moins courante.

Le recours aux médicaments pose de plus une question éthique. Par exemple, la tendance récente qui consiste à prescrire de l'olanzapine aux jeunes patientes – un antipsychotique utilisé dans le traitement de la schizophrénie et des troubles bipolaires – est à mon avis très inquiétante. Ce médicament est prescrit aux anorexiques principalement pour son effet secondaire, à savoir la prise de poids. Peut-on faire usage d'un médicament pour l'un de ses effets secondaires? Personnellement, j'ai le sentiment que l'on trompe la patiente. J'en ai rencontré ainsi plusieurs qui, avec cette médication, avaient repris du poids malgré elles, elles paraissaient aller mieux sur le plan physique mais sur le plan psychique, elles avaient l'air fragilisées comme si la guérison leur avait été imposée sans qu'elles y aient pris part.

Même si je suis très critique, j'ai toujours pensé qu'il y avait une place pour la psychiatrie dans le traitement de l'anorexie à l'adolescence et je le pense encore. J'ai en effet rencontré, surtout au début de notre programme en médecine de l'adolescence, des cas pour qui le recours à la psychiatrie était très positif. Malheureusement, certains secteurs de la psychiatrie ont évolué vers une médication lourde qui ne convient pas aux adolescentes, à l'inverse d'une approche psychologique, humaine et respectueuse.

J'ajoute que notre effectif en médecine de l'adolescence est limité et il nous est impossible de traiter tous les cas qui se présentent à nous. D'autant plus que les pédiatres ne sont pas tous à l'aise avec cette pathologie bien complexe. Bon nombre d'entre eux refusent de s'occuper de ces adolescentes difficiles à aborder et à traiter. Que dire des jeunes patientes prépubères ? Elles sont si fragiles et désespérées qu'il faut être à la fois très solide et très délicat pour ne pas les abîmer davantage. Une gageure pour un médecin quelle que soit sa spécialité !

Sur la voie de la guérison

Le traitement des anorexiques s'échelonne donc sur de nombreuses années. On apprend à les connaître, on s'attache à elles et elles à nous. Leur évolution se fait par nanomiettes, comme disait l'une de mes patientes, à leur rythme, c'est-à-dire très lentement. Sur le plan physique, il ne faut pas les brusquer et si on leur explique l'importance du contrôle des signes vitaux, elles collaborent très bien à nos plans de soins.

Je suis toujours surpris de voir que les patientes qui étaient en surpoids au début de leur conduite anorexique et qui retrouvent leur poids d'origine une fois guéries ne nous demandent jamais de leur prescrire une diète amaigrissante. La plupart d'entre elles sont très heureuses d'être libérées de leur anorexie, elles assument parfaitement leur surpoids, elles vivent pleinement leur adolescence, elles ont de nombreux projets et une telle envie de rattraper le temps perdu qu'il n'y a plus de place pour les régimes. Une fois adultes, ces ex-anorexiques auront peut-être envie de perdre du poids mais, fortes de leur expérience, elles le feront de manière raisonnable et prudente.

J'ai le souvenir émouvant de Sandra qui a été hospitalisée durant six mois pour une anorexie; son poids était passé de 100 kg à 40 kg et elle souffrait de troubles sévères sur le plan physiologique. Après son congé de l'hôpital, je n'ai pas pu la recevoir en clinique externe parce qu'elle habitait la Gaspésie, une région éloignée de Montréal, et ses déplacements auraient été trop fastidieux. Un soir, alors que je quittais l'hôpital, une infirmière est venue me voir pour me dire que Sandra avait appelé; elle voulait me saluer et m'informer qu'elle pesait dorénavant 80 kg, qu'elle menait une vie à nouveau normale et qu'elle était enfin heureuse, malgré son surpoids. Sa fierté d'être sortie de la conduite anorexique était bien supérieure à la déception de retrouver ses formes d'avant. Voilà en quoi consiste mon travail: remettre ces jeunes filles anorexiques dans la vie et leur permettre d'aimer leur corps tel qu'il est. Libres à elles d'entreprendre plus tard un régime, si leur poids est pathologique, mais cette fois dans le respect de leur intégrité et en toute sécurité.

Conclusion

Alors que rien ne le laissait présager, j'ai consacré l'essentiel de ma carrière à soigner des adolescentes anorexiques. Elles n'étaient que quelques-unes à être hospitalisées simultanément dans les années 1980, elles représentent aujourd'hui plus de la moitié de nos patients hospitalisés dans notre unité de médecine de l'adolescence. En trente-six ans d'observations, d'expériences et de rencontres toutes plus enrichissantes les unes que les autres, je suis devenu un expert dans le traitement de cette maladie qui peut être considérée, selon moi, comme une impasse développementale propre à la période de l'adolescence et assimilable à une conduite de type addictif. À cet égard, je partage le point de vue du psychiatre français Philippe Jeammet qui range l'anorexie dans la catégorie des troubles de dépendance, une forme nouvelle, si l'on veut, de toxicomanie à l'instar de la dépendance aux drogues dures qui est apparue dans les années 1970.

L'observation et le traitement de milliers de patientes rencontrées en clinique interne ou en clinique externe m'ont permis de distinguer quatre actes dans l'évolution de la maladie que je décris comme une pièce de théâtre :

le premier acte correspond à la chute pondérale, le deuxième au maintien rigide du contrôle alimentaire, le troisième à la perte de ce contrôle et à une reprise de poids, et le quatrième à l'après-anorexie. Même si chaque acte comporte ses propres défis et ses propres difficultés, le deuxième acte, qui montre l'anorexique prise dans son refus de guérir, représente le moment le plus difficile pour l'équipe traitante. Le troisième acte correspond à la période la plus douloureuse et la plus violente pour la malade. Chaque acte de la maladie exige de notre part une approche différente. Durant le deuxième acte, la surveillance et les soins médicaux occupent la première place, alors qu'au troisième acte, marqué par l'apparition d'idées suicidaires, l'adolescente fait l'objet non seulement d'un suivi médical soutenu, mais aussi d'un suivi psychologique.

Écartant les méthodes coercitives encore largement employées aujourd'hui dans le traitement de l'anorexie, je préconise une thérapie fondée essentiellement sur l'établissement d'un lien thérapeutique solide entre la patiente et un membre de l'équipe de soins – infirmière, psychologue ou médecin – et sur le respect absolu du rythme de progression propre à chaque patiente.

L'expérience m'a montré que le poids préanorexique ne peut être rétabli de manière durable que si on bénéficie de la totale confiance et de l'entière collaboration de la patiente. Toute manœuvre visant à la forcer ou à l'amener malgré elle à reprendre du poids (par exemple, par l'usage de médicaments ou par le chantage) est vouée à l'échec, car chaque kilo gagné sera perdu au bout d'un certain temps. C'est ainsi que certaines patientes se trouvent littéralement prises dans une spirale infernale de longues hospitalisations à répétition sans pouvoir se stabiliser à un niveau pondéral satisfaisant.

C'est pourquoi je considère que mon intervention fondée sur la confiance et la patience ressemble plus à un accompagnement qu'à un traitement. En tant que pédiatre, je soigne une personne et non une maladie. Cette distinction est fondamentale : chaque patiente est en effet un cas unique, avec des particularités qui lui sont propres et qui sont fondamentales. Aucun protocole ne fonctionne, rien n'est prévisible et ni le médecin ni l'infirmière ne contrôle l'évolution de la maladie. La patiente est le seul maître à bord, c'est elle qui aura toujours le dernier mot. Mieux vaut l'accepter dès le départ plutôt que de lutter et d'engager avec elle une partie de bras de fer qui renforcera son pouvoir de contrôle et sa capacité d'autosabotage.

La toute-puissance des anorexiques est certainement l'une des plus grandes difficultés auxquelles l'entourage des patientes doit faire face. Habiles, rusées et intelligentes, elles ont le don de semer la zizanie partout où elles passent et de susciter un sentiment d'impuissance très inconfortable chez leurs parents et les membres de l'équipe de soins. Devant elles, le médecin ou l'infirmière doit faire preuve de force intérieure, de constance, de détermination, de souplesse et de délicatesse. Si le médecin est inquiet de l'état clinique d'une patiente qui arrive en consultation au bord de l'épuisement, cette dernière n'en sera que plus satisfaite et elle y verra un signe de triomphe personnel qui peut renforcer son désir de contrôle et la faire s'obstiner dans son refus d'être soignée. Étant donné qu'elle considère son état précaire comme un signe de succès, il faut s'attendre à ce que la patiente ne comprenne pas qu'on veuille l'hospitaliser sur-le-champ. C'est la raison pour laquelle je recommande de ne jamais prendre cette décision en situation d'urgence – sauf dans les cas exceptionnels – et de ne jamais imposer à une nouvelle patiente des actes médicaux intrusifs tels qu'une perfusion sans son accord. Il faut planifier son hospitalisation et l'inscrire dans un plan de soins qu'on aura discuté avec elle et qu'elle aura accepté.

J'attache une grande importance au contrôle systématique des signes vitaux de la patiente : rythme cardiaque et tension artérielle. À cet égard, je m'efforce de lui faire comprendre le but de mes gestes et la signification de mes prescriptions. Aussi, le fait de se rappeler que la conduite restrictive de l'alimentation n'est pas un suicide à petit feu permet de garder un lien positif avec la patiente même lorsqu'elle atteint son poids le plus bas et qu'elle donne des signes d'affaiblissement extrême. Mue par le désir de vivre, elle finira par accepter d'être aidée. Tout est dans la manière.

Comme pour tout problème complexe, l'approche en équipe de type interdisciplinaire sera bénéfique auprès des anorexiques à condition que chaque professionnel intervienne au moment le plus opportun. Si la patiente rencontre dès le début de sa maladie trop d'intervenants, elle se sentira agressée et se réfugiera dans l'isolement sans que personne ait pu nouer avec elle un lien particulier. Ce sera un échec garanti. C'est pourquoi j'estime nécessaire que le médecin et l'infirmière soient le duo principal et référant dans un premier temps. Plus tard, en particulier au cours du troisième acte de la maladie, peuvent intervenir un psychologue ou une nutritionniste qui prendront le relais du suivi thérapeutique. Même si j'ai en tant que médecin la haute main sur le suivi médical de la patiente, je m'attends à ce que d'autres intervenants agissent, car, dans son évolution, la patiente a besoin d'un suivi continu, notamment en psychologie, un domaine qui ne relève pas de ma compétence. Douceur, respect et humilité, voilà donc ce qui résume mon approche thérapeutique.

Enfin, je recommande que les adolescentes anorexiques soient toujours adressées dans un premier temps en médecine de l'adolescence et qu'elles ne soient pas admises immédiatement dans un milieu psychiatrique. Je pense en effet que la médication qui accompagne trop souvent le suivi psychiatrique est absolument inutile, voire nuisible, la patiente étant d'ailleurs rarement disposée à avaler tout un arsenal de pilules. Si le modèle thérapeutique proposé en médecine de l'adolescence est inefficace après une ou plusieurs tentatives de traitement, ou si la patiente présente une pathologie psychiatrique additionnelle, alors un transfert en milieu psychiatrique est à envisager. Celui-ci ne doit cependant jamais se faire sans l'aval de la patiente et de ses parents.

Afin que ces deux unités de soins soient bénéfiques pour la patiente, chacune étant adaptée au degré de gravité de la maladie, je préconise qu'elles soient clairement distinguées l'une de l'autre. Le choix possible entre la voie pédiatrique et la voie psychiatrique représente une grande richesse pour les patientes. Je veillerai toutefois à éviter les allers et retours entre les deux unités de soins, car la patiente peut apprendre rapidement comment déstabiliser chaque équipe médicale et tirer profit du chaos qu'elle a créé pour se sentir triomphante et renforcer son anorexie. C'est pourquoi je pense que le transfert d'une patiente en milieu psychiatrique devrait être définitif.

Le passage à l'âge adulte, qui implique le transfert vers un nouveau milieu médical, reste dans l'évolution de la maladie un élément crucial pour la patiente. En effet, du fait de son âge, elle n'appartient plus au groupe des adolescents et, du fait de sa dysharmonie de développement, elle manque de maturité et n'a pas sa place dans le milieu médical adulte. Ce passage qui ouvre une brèche dans laquelle bon nombre d'entre elles se perdent doit en conséquence faire l'objet d'études approfondies. Parallèlement, le milieu de la médecine de l'adolescence devrait accepter l'idée de poursuivre le suivi de ses patientes après l'âge de dix-huit ans pour une ou deux années supplémentaires, l'objectif principal étant de réduire la morbidité qui survient entre dix-huit et trente ans.

Avec un taux de fidélité exemplaire en clinique externe, les patientes et leurs parents nous montrent par leur engagement que notre approche thérapeutique leur convient et correspond dans l'ensemble à leurs attentes. Malgré la difficulté du traitement et la complexité de la maladie, nous arrivons à maintenir année après année un climat de confiance qui permet à chacune des patientes d'avancer lentement mais sûrement sur le chemin de la guérison. Sauf dans les cas exceptionnels de comorbidité, elles finissent toutes par sortir de la maladie, soit à la fin de leur adolescence, soit à l'âge adulte. Elles retrouvent leur poids d'origine, leur corps véritable et reprennent avec entrain le cours de leur vie. Leur quête identitaire se termine enfin.

Au cours de toutes ces années d'accueil et de soins, j'ai cherché constamment à comprendre la signification que revêt l'anorexie pour chacune de mes patientes en me gardant du sentiment d'impuissance que ressentent tous les soignants à leur contact. Convertir ce sentiment en celui d'une puissance agissante est une nécessité pour tous ceux qui côtoient des anorexiques dans leur quotidien. Cela n'est possible que moyennant l'établissement d'un lien thérapeutique fondé sur la compréhension, le respect et la patience. Un temps qui paraît démesurément long, vide et infructueux, vu les modestes progrès réalisés par la patiente au fil des années. Pourtant, qu'on le veuille ou non, c'est de temps dont la patiente a surtout besoin pour guérir. Il faut y croire même si cela est difficile, en particulier pour les intervenants qui ont du mal à accepter de ne rien faire même lorsqu'il n'y a rien à faire.

Dans le domaine des soins prodigués aux anorexiques, rien n'est jamais figé ; il faut garder un esprit vif et curieux pour toujours mieux comprendre la maladie et se questionner sans cesse sur la meilleure attitude à adopter en face de chaque patiente. Comme dans le cas d'une œuvre d'art, restaurer une anorexique requiert talent, habileté, soin, patience et finesse. Lorsqu'elles viennent me rendre visite quelques années plus tard ou qu'elles m'envoient des photos de leur bébé, je suis content de les avoir aidées dans leur cheminement et d'avoir cru, contre vents et marées, en elles.

Table des matières

Achevé d'imprimer
en mars deux mille douze, sur les presses
de l'imprimerie Gauvin, Gatineau, Québec